读经典 学养生

SHI
LIAO
BEN
CAO

食疗本草

中国医药科技出版社

唐 孟诜 著

唐 张鼎 增补

主编 张聪 杨秀岩

内容提要

《食疗本草》是我国现存最早的一部食疗专著，共上、中、下三卷，收录了常用的瓜果、菜蔬、米谷、鸟兽、虫鱼等 260余条，详述其食性、食宜、食忌、食方等。为了使这部食疗经典更好地服务于大众，本次点校按段落对疑难字词、中医术语、文化常识等进行注释，并配有精美插图，特别适合广大老年朋友和中医爱好者阅读学习。

图书在版编目（CIP）数据

食疗本草 /（唐）孟诜著；（唐）张鼎增补；张聪，杨秀岩主编. —北京：中国医药科技出版社，2017.7
（读经典　学养生）
ISBN 978-7-5067-9317-9

Ⅰ.①食… Ⅱ.①孟… ②张… ③张… ④杨… Ⅲ.①食物本草–中国–唐代 Ⅳ.①R281.5

中国版本图书馆CIP数据核字(2017)第106981号

食疗本草

美术编辑　陈君杞
版式设计　大隐设计

出版　中国医药科技出版社
地址　北京市海淀区文慧园北路甲 22 号
邮编　100082
电话　发行：010-62227427　邮购：010-62236938
网址　www.cmstp.com
规格　787×1092mm ¹/₃₂
印张　6 ¹/₄
字数　98 千字
版次　2017 年 7 月第 1 版
印次　2017 年 7 月第 1 次印刷
印刷　北京九天众诚印刷有限公司
经销　全国各地新华书店
书号　ISBN 978-7-5067-9317-9
定价　16.00 元

丛书编委会

本书编委会

主　编
张　聪　杨秀岩

副主编
张小勇　刘丹彤　白俊杰

出版者的话

　　中医养生学有着悠久的历史和丰富的内涵，是中华优秀文化的重要组成部分。随着人们物质文化生活水平的不断提高，广大民众越来越重视健康，越来越希望从中医养生文化中汲取对现实有帮助的营养。但中医学知识浩如烟海、博大精深，普通民众不知从何入手。为推广普及中医养生文化，系统挖掘整理中医养生典籍，我社精心策划了这套"读经典 学养生"丛书，从浩瀚的中医古籍中撷取 20 种有代表性、有影响、有价值的精品，希望能满足广大读者对养生、保健、益寿方面知识的需求和渴望。

　　为保证丛书质量，本次整理突出了以下特点：①力求原文准确，每种古籍均遴选精善底本，加以严谨校勘，为读者提供准确的原文；②每本书都撰写编写说明，介绍原著作者情况，该书主要内容、阅读价值及其版本情况；③正文按段落注释疑难字词、中医术语和各种文化常识，便于现代读者阅读理解；④每本书都配有精美插图，让读者在愉悦的审美体验中品读中医养生文化。

需要提醒广大读者的是，对古代养生著作中的内容我们也要有去粗取精、去伪存真的辩证认识。"读经典 学养生"丛书涉及大量的调养方剂和食疗方，其主要体现的是作者在当时历史条件下的养生方法，而中医讲究辨证论治、因人而异，因此，读者切不可盲目照搬，一定要咨询医生针对个体情况进行调养。

中医养生文化博大精深，中国医药科技出版社作为中央级专业出版社，愿以丰富的出版资源为普及中医药文化、提高民众健康素养尽一份社会责任，在此过程中，我们也期待读者诸君的帮助和指点。

中国医药科技出版社
2017 年 3 月

总序

养生（又称摄生、道生）一词最早见于《庄子》内篇。所谓生，就是生命、生存、生长之意；所谓养，即保养、调养、培养、补养、护养之意。养生就是根据生命发展的规律，通过养精神、调饮食、练形体、慎房事、适寒温等方法颐养身心、增强体质、预防疾病、保养身体，以达到延年益寿的目的。纵观历史，有很多养生经典著作及专论对于今天学习并普及中医养生知识，提升人民生活质量有着重要作用，值得进一步推广。

中医养生，源远流长，如成书于西汉中后期我国现存最早的医学典籍《黄帝内经》，把养生的理论和方法叫作"养生之道"。又如《素问·上古天真论》云："上古之人，其知道者，法于阴阳，和于术数，食饮有节，起居有常，不妄作劳，故能形与神俱，而尽终其天年，度百岁乃去。"此处的"道"，就是养生之道。

需要强调的是，能否健康长寿，不仅在于能否懂得养生之道，更为重要的是能否把养生之道贯彻应用到日常生活中去。

此后，历代养生家根据各自的实践，对于"养生之道"都有着深刻的体会，如唐代孙思邈精通道、佛之学，广集医、道、儒、佛诸家养生之说，并结合自己多年丰富的实践经验，在《千金要方》《千金翼方》两书中记载了大量的养生内容，其中既有"道林养性""房中补益""食养"等道家养生之说，也有"天竺国按摩法"等佛家养生功法。这些不仅丰富了养生内容，也使得诸家传统养生法得以流传于世，在我国养生发展史上，具有承前启后的作用。

宋金元时期，中医养生理论和养生方法日益丰富发展，出现了众多的养生专著，如宋代陈直撰《养老奉亲书》，元代邹铉在此书的基础上继增三卷，更名为《寿亲养老新书》，其特别强调了老年人的起居护理，指出老年之人，体力衰弱，动作多有不便，故对其起居作息、行动坐卧，都须合理安排，应当处处为老人提供便利条件，细心护养。在药物调治方面，老年人气色已衰，精神减耗，所以不能像对待年轻人那样施用峻猛方药。其他诸如周守忠的《养生类纂》、李鹏飞的《三元参赞延寿书》、王珪的《泰定养生主论》等，也均为养生学的发展做出了不同程度的贡献。

明清之际，先后出现了很多著名养生学家和专著，进一步丰富和完善了中医养生学的内容，如明代高濂的《遵生八笺》从气功角度提出了养心坐功法、养肝坐功法、养脾坐功法、养肺坐功法、养肾坐功法，又对心神调养、四时调摄、起居安乐、饮馔服食及药物保健等方面做了详细论述，极大丰富了调养五脏学说。清代尤乘在总结前人经验的基础上编著《寿世青编》一书，在调神、饮食、保精等方面提出了养心说、养肝说、养脾说、养肺说、养肾说，为五脏调养的完善做出了一定贡献。在这一时期，中医养生保健专著的撰辑和出版是养生学史的鼎盛时期，全面地发展了养生方法，使其更加具体实用。

综上所述，在中医理论指导下，先哲们的养生之道在静神、动形、固精、调气、食养及药饵等方面各有侧重，各有所长，从不同角度阐述了养生理论和方法，丰富了养生学的内容，强调形神共养、协调阴阳、顺应自然、饮食调养、谨慎起居、和调脏腑、通畅经络、节欲保精、益气调息、动静适宜等，使养生活动有章可循、有法可依。例如，饮食养生强调食养、食节、食忌、食禁等；药物保健则注意药养、药治、药忌、药禁等；传统的运动养生更是功种繁多，如动功有太极拳、八段锦、易筋经、五禽戏、保健功等，静功有放松功、内养功、强壮功、意气功、真气运行法等，动静结合功有空劲功、形神桩等。无论选学哪种功法，只要练功得法，持之以恒，都可收到健身防病、益寿延年之效。针灸、按摩、推拿、拔火罐等，也都方便易行，效果显著。诸如此类的方法不仅深受我国人民喜爱，而且远传世界各地，为全人类的保健事业做出了应有的贡献。

本套丛书选取了中医药学发展史上著名的养生专论或专著，加以句读和注解，其中节选的有《黄帝内经》《备急千金要方》《千金翼方》《闲情偶寄》《遵生八笺》《福寿丹书》，全选的有《摄生消息论》《修龄要指》《摄生三要》《老老恒言》《寿亲养老新书》《养生类要》《养生类纂》《养生秘旨》《养性延命录》《饮食须知》《寿世青编》《养生三要》《寿世传真》《食疗本草》。可以说，以上这些著作基本覆

盖了中医养生学的内容，通过阅读，读者可以

在品味古人养生精华的同时，培养适合自己的养生理念与方法。

当然，由于这些古代著作成书年代所限，其中难免有些糟粕或者不合时宜之处，还望读者甄别并正确对待。

翟双庆

2017 年 3 月

编写说明

　　《食疗本草》原著为唐代孟诜，由唐代张鼎在孟诜所著的《补养方》3卷基础上增补改编而成，后更名为《食疗本草》。据《嘉祐本草》著录，《食疗本草》共有上、中、下三卷，含227条，是唐代食疗物品品种最丰富的著作。本书收录了常用的瓜果、菜蔬、米谷、鸟兽、虫鱼，以及某些加工制品，如酪、酥、醍醐，并首次记载了很多当时本草文献不曾记载的食物，如鲈鱼、胡荽、荞麦等，为这些食物的后世应用提供了良好的借鉴。本书从食性、食宜、食忌、食方等多个角度记录了食物的情况，对后世医家、养生家具有重要的参考价值。

　　20世纪80年代，我国著名中医学家谢海洲组织多位业内专家，以中国学者罗振玉主编的《敦煌石室碎金》中转抄的《食疗本草残卷》

为底本，并比照《嘉祐本草》《证类本草》《医心方》等书籍中引用的《食疗本草》内容再次对《食疗本草》流传的佚文进行考证，重新编辑修订了此书。本次整理即以谢海洲先生增订的版本为底本，共收录药物 260 余种。

　　本书在编写过程中充分考虑了读者的知识背景，在注解当中将专业知识和科普内容相结合，努力做到雅俗共赏，方便广大读者阅读。在本书编写过程中难免有疏漏之处，欢迎广大读者批评指正。

编者

2017 年 3 月

目录

卷上

2

卷中

卷下

卷上

盐

蠼螋尿疮①：盐三升，水一斗，煮取六升，以绵浸汤，淹疮上。

又，治一切气及脚气②：取盐三升，蒸，候热分裹；近壁脚踏之，令脚心热。

又，和槐白皮蒸用，亦治脚气，夜夜与之良。

又，以皂荚两梃③，盐半两，同烧令通赤，细研。夜夜用揩齿。一月后，有动者齿及血蜃④齿，并瘥，其齿牢固。

注

①蠼（qú）螋（sǒu）尿疮：蠼螋，昆虫名字。相传

如果被蠼螋尿了人影，则人体相应的部位疼痛如有芒刺在身，出现成群的疱疹，在疱疹上会有脓点，患病之人恶寒发热。这些疱疹多发生于胁肋部和腰部，古代也叫缠腰火丹，相当于今天的带状疱疹。

②脚气：中医病名，又称脚弱、缓风，临床表现为足胫肿大，软弱麻木，或足胫不肿，仅表现为麻木酸胀。过去多认为本病和维生素 B_1 缺乏有关。

③梃（tǐng）：枚、个。

④䘌（nì）：一作虫的名，北京和北方的一些地方有"腻虫"的说法，指一些植物叶子下面寄生的小的黑色虫子；二作虫食病；三作蛀蚀之意。

食

读经典 学养生

食疗本草

SHI
LIAO
BEN
CAO

卷上

石燕①

在乳穴石洞中者，冬月采之，堪食。余月采者只堪治病，不堪食也。食如常法。

又，治法：取石燕二十枚，和五味②炒令熟，以酒一斗，浸三日，即每夜卧时饮一两盏，随性多少也。甚能补益，能吃食，令人健力也。

注

①石燕：古代石燕有两种，一种是动物，一种是化石。据《本草纲目》记载，石燕"一种是钟乳穴中石燕，似蝙蝠者，食乳汁，能飞，乃禽类也。禽石燕食乳，食之补助，与钟乳同功，故方书助阳药多用之。俗人不知，往往用此药为助阳药，刊于方册，误矣。"本书应为动物禽石燕。

②五味：指调味品，五味指醯（醋）、酒、饴蜜、姜、盐。

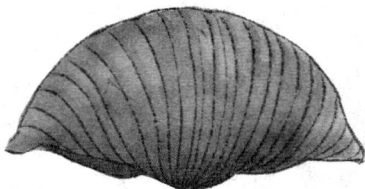

黄精

饵黄精，能老不饥。其法：可取瓮①子去底，釜②上安置令得，所盛黄精令满；密盖，蒸之。令气溜，即暴③之。第二遍蒸之亦如此。九蒸九暴。凡生时有一硕，熟有三四斗。蒸之若生，则刺人咽喉。暴使干，不尔朽坏。

其生者，若初服，只可一寸半，渐渐增之。十日不食，能长服之，止三尺五寸。服三百日后，尽见鬼神。饵必升天。根、叶、花、实，皆可食之。但相对者是，不对者名偏精。

注

①瓮：陶制盛器。

②釜：古代的一种器物，圆底而无足，必须安置在炉灶之上或是以其他物体支撑煮物，釜口也是圆形，可以直接用来煮、炖、煎、炒等，可视为现代所使用锅的前身。

③暴（pù）：同"曝"，晒。

甘菊

平。其叶正月采，可作羹。茎，五月五日采。花，九月九日采。

并主头风①目眩、泪出，去烦热，利五藏。野生苦菊不堪用。

注

①头风：中医病名。临床表现为头痛反复发作，经久不愈，痛势剧烈。

天门冬

补虚劳，治肺劳，止渴，去热风[1]。

可去皮心，入蜜煮之，食后服之。若曝干，入蜜丸尤佳。亦用洗面，甚佳。

注

①热风：又名风热，是中医病名。临床表现为发热恶寒，口渴，咽痛等。

地黄

微寒。以少蜜煎，或浸食之；或煎汤，或入酒饮，并妙。

生则寒，主齿痛，唾血，折伤。叶可以羹。

薯蓣①

治头疼，利丈夫，助阴力。和面作馎饦②，则微动气，为不能制面毒③也。熟煮和蜜，或为汤煎，或为粉，并佳。干之入药更妙也。

注

①薯蓣：即山药。

②馎（bó）饦（tuō）：一种煮食的面食。欧阳修《归田录》云："汤饼，唐人谓之不托，今俗谓之馎饦矣。"

③面毒：古人认为小麦制成面后，食性由凉变热，热性壅滞，易致食积，食后可能出现不适感。

白蒿

寒。春初此蒿前诸草生。捣汁去热黄①及心痛。其叶生挼②，醋淹之为菹③，甚益人。又，叶干为末，夏日暴水痢，以米饮和一匙，空腹服之。

子：主鬼气④，末和酒服之良。又，烧淋灰煎，治淋沥⑤疾。

①热黄：即湿热型黄疸。包括现代的急性黄疸型肝炎、
　阻塞性胆囊炎等。
②挼（ruó）：揉搓之意。
③菹（zū）：腌菜之意。
④鬼气：鬼物邪气。古人迷信，认为精神失常类疾
　病是因为有鬼气。
⑤淋沥：中医病名，即淋证，临床表现为小便淋漓
　涩痛，尿频数。

决明子

平。叶：主明目，利五藏，食之甚良。

子：主肝家①热毒气，风眼赤泪。每日取一匙，
挼去尘埃，空腹水吞之。百日后，夜见物光也。

①肝家：《大观本草》作"人患"。

生姜

温。去痰下气。多食少心智。八九月食，伤神。

除壮热，治转筋①，心满。食之除鼻塞，去胸中
臭气，通神明。

又，冷痢②：取椒烙之为末，共干姜末等分，以
醋和面作小馄饨子，服二七枚。先以水煮，更稀饮

7

中重煮。出,停冷吞之。以粥饮下,空腹,日一度作之良。

谨按:止逆,散烦闷,开胃气。

又,姜屑末和酒服之,除偏风③。汁作煎,下一切结实④冲胸膈恶气,神验。

又,胃气虚,风热,不能食:姜汁半鸡子壳,生地黄汁少许,蜜一匙头,和水三合,顿服立差。

又,皮寒,(姜)性温。又,姜汁和杏仁汁煎成煎⑤,酒调服,或水调下,善下一切结实冲胸膈。

注

①转筋:俗称抽筋。
②冷痢:又名寒痢,痢疾的一种。临床表现为大便呈白冻状,质稀气腥,里急后重,口不渴,遇寒加重。
③偏风:中医病名,又称偏枯,即半身不遂。
④结实:中医病名,又称胃家实。临床表现为饮食停聚于胃肠,腹胀,呕吐吞酸,不思饮食,便秘等。
⑤煎:《大观本草》作"膏"。

苍耳

温。主中风①、伤寒②头痛。

又,丁肿困重,生捣苍耳根、叶,和小儿尿绞取汁,冷服一升,日三度,甚验。

拔丁肿根脚。

又,治一切风:取嫩叶一石,切,捣和五升麦蘖③，团作块，于蒿、艾中盛二十日，状成曲。取米一斗，炊作饭。看冷暖，入苍耳麦蘖曲，作三大升酿之。封一十四日成熟。取此酒，空心暖服之，神验。封此酒可两重布，不得全密，密则溢出。

又，不可和马肉食。

注

①中风：中医病证。泛指外感风邪的病症。
②伤寒：中医病证。指感受寒邪的病症。
③蘖（niè）：一指生芽的米；二指酿酒的曲。

葛根

蒸食之，消酒毒①。其粉亦甚妙。

注

①酒毒：古人认为过量饮酒后产生的各种不适均是由酒毒导致，因酒性大热，过量饮用会引起中毒。

栝蒌①

子：下乳汁。

又，治痈肿：栝蒌根苦酒中熬燥，捣筛之。苦酒②和，涂纸上，摊贴。服金石③人宜用。

食疗本草

读经典
学养生

SHI
LIAO
BEN
CAO

卷
上

注

①栝蒌：即中药瓜蒌。
②苦酒：即醋。
③金石：又称丹石，指道家用于修炼的丹药。

燕覆子子①

平。上主利肠胃，令人能食。下三焦②，除恶气。和子食更良。江北人多不识此物，即南方人食之。

又，主续五脏音声及气，使人足气力。

又，取枝叶煮饮服之，治卒气奔绝③。亦通十二经脉。其茎为通草，利关节拥塞④不通之气。今北人只识通草，而不委子功。其皮不堪食。

煮饮之，通妇人血气。浓煎三、五盏，即便通。

又，除寒热不通之气，消鼠瘘⑤、金疮⑥、踒折⑦。煮汁酿酒妙。

注

①燕覆子子：通草的种子。
②三焦：三焦是中医藏象学说一个特有的名词，既是体腔的划分概念，也是作为六腑之一的功能概念。三焦即上中下焦的合称，从体腔的划分概念来说，横膈以上为上焦，包括心、肺，横膈以下至脐为中焦，包括脾、胃，脐以下为下焦，包括肝、肾、大肠、膀胱、女子胞（子宫）等。
③卒气奔绝：突然发作气往上冲、上气不接下气之症。
④拥塞：阻塞，阻隔。拥，壅塞。
⑤鼠瘘：中医病名，又称瘰疬，临床表现为颈项或

腋下出现结块如豆，累累如串珠，破溃后脓出清稀，或夹杂豆渣样分泌物，此起彼伏，经久不愈，久不收口可形成瘘道。相当于现在的淋巴结结核。

⑥金疮：又称金创，即刀剑等金属刃器造成的肢体损伤。

⑦踒（wō）折：肢体猛折而造成的筋骨损伤。

百合

平。主心急黄①，蒸过，蜜和食之。作粉尤佳。红花者名山丹，不甚良。

注

①心急黄：中医病症，急黄指突然发黄之意。心急黄表现为初期发热，心战心闷气喘，危及生命，又称心黄。或发病急骤，黄疸迅速加深，严重者神昏谵语，高热，胸闷腹胀，吐衄便血。

艾叶

干者并煎者，金疮，崩中①，霍乱②；止胎漏③。春初采，为干饼子，入生姜煎服，止泻痢。三月三日，可采作煎，甚治冷。若患冷气，取熟艾面裹作馄饨，可大如弹子许。

艾实：又治百恶气④，取其子，和干姜捣作末，蜜丸如梧子大，空心三十丸服，以饭三五匙压⑤之，日再服。其鬼神速走出，颇消一切冷气。田野之人

11

与此方相宜也。

又，产后泻血不止，取干艾叶半两炙熟，老生姜半两，浓煎汤，一服便止，妙。

注

①崩中：中医病名，即崩漏。指妇女非月经期间出现的阴道大量出血。

②霍乱：中医病名。以起病急，大吐大泻，烦闷不舒为表现，与西医的霍乱不是同一个疾病。

③胎漏：中医病名。指妇女怀孕期间出现的阴道不时少量出血。

④恶气：泛指一些可以引起疾病的外界因素，尤其指能引起传染病或中毒的凶险邪气。

⑤压：指服用某些药物之后，为了防止药气上涌，通过服用饭食来预防，称为"压"。

蓟 菜①

根：主养气。取生根叶，捣取自然汁，服一盏，立佳。又，取菜煮食之，除风热。

根：主崩中。又，女子月候②伤过，捣汁半升服之。

叶：只堪煮羹食，甚除热风气。

又，金创血不止，挼叶封之即止。

夏月热，烦闷不止，捣叶取汁半升，服之立差。

注

①蓟菜：即中药小蓟。

②月候：指月经。

恶食①

根，作脯食之良。

热毒肿，捣根及叶封之。

杖疮②、金疮，取叶贴之，永不畏风。

又瘫缓及丹石风毒③，石热发毒。明耳目，利腰膝，则取其子末之，投酒中浸经三日，每日饮三两盏，随性多少。

欲散支节筋骨烦热毒，则食前取子三七粒，熟挼吞之，十服后甚良。

细切根如小豆大，拌面作饭煮食，尤良。

又，皮毛间习习如虫行，煮根汁浴之。夏浴慎风。却入其子炒过，末之如茶，煎三匕④，通利小便。

注

①恶食：即中药牛蒡子，性凉。具有疏散风热，解毒透疹，利咽消肿的功效。
②杖疮：古代因受杖刑导致的创伤，伤口感染后产生创面。
③风毒：指引起伤口感染的风毒，临床表现为角弓反张、牙关紧闭的严重症状。
④匕：古代指勺、匙之类的取食用具。

食

食疗本草

读经典 学养生

SHI
LIAO
BEN
CAO

卷上

海藻

主起男子阴气，常食之，消男子癀①疾。南方人多食之，传于北人。北人食之，倍生诸病，更不宜矣。

瘦人，不可食之。

注

①癀（tuí）：一作㿗，指阴囊肿大。

昆布

下气①，久服瘦人。无此疾者，不可食。海岛之人爱食，为无好菜，只食此物。服久，病亦不生。遂传说其功于北人。北人食之，病皆生，是水土不宜尔。

注

①下气：中医治法之一。应当向下运动的气不下
降或反而上冲，就会出现气滞腹胀、胸闷不舒、
咳喘呕逆等症状。解除这类病证的常用治法叫
"下法"。

紫菜

下热气，多食胀人。若热气塞咽喉，煎汁饮之。此是海中之物，味犹有毒性。凡是海中菜，所以有

损人矣。

船底苔

　　冷，无毒。治鼻洪，吐血，淋疾，以炙甘草并豉汁浓煎汤，旋呷①。

　　又，主五淋②，取一团鸭子大，煮服之。

　　又，水中细苔，主天行病③，心闷，捣绞汁服。

注

①呷：小口地喝。

②五淋：石淋、气淋、血淋、膏淋、劳淋。

③天行病：中医病名，泛指急性流行性传染病。

干苔

　　味咸，寒（一云温）。主痔，杀虫，及霍乱呕吐不止，煮汁服之。

　　又，心腹烦闷者，冷水研如泥，饮之即止。

　　又，发诸疮疥，下一切丹石，杀诸药毒。不可多食，令人痿黄，少血色。

　　杀木蠹①虫，内木孔中。但是海族之流，皆下丹石。

注

①蠹（dù）：指蛀蚀器物的虫子。

蘹香①

（恶心）②：取蘹香华、叶煮服之。

国人重之，云有助阳道③，用之未得其方法也。生捣茎叶汁一合，投热酒一合，服之治卒肾气冲胁、如刀刺痛，喘息不得。亦甚理小肠气④。

注

①蘹（huái）香：即小茴香，调味品，也是中药，具有温肾散寒、和胃理气的作用。

②（恶心）：根据《医心方》引"孟说食经恶心方"补本条主治。

③阳道：男子的泌尿生殖道。

④小肠气：即疝气。

荠苨①

丹石发动，取根食之尤良。

注

①荠苨（nǐ）：中草药名，又称"甜桔梗"，性寒，味甘。具有清热，解毒，化痰的功效。

蒟酱①

温。散结气，治心腹中冷气。亦名土荜拨。岭南荜拨尤治胃气疾②，巴蜀有之。

注

①蒟（jǔ）酱：胡椒科植物蒟酱的果。性温，味辛，可温中下气，消痰散结。
②胃气疾：指胃的功能失调，表现为胃胀、胃痛，嗳气，呕逆清水，食欲减退等。

青蒿

寒。益气长发，能轻身补中，不老明目，煞风毒①。捣傅②疮上，止血生肉。最早，春便③生，色白者是。自然香醋淹为菹，益人。治骨蒸④，以小便渍一两宿，干，末为丸，甚去热劳。

又，鬼气，取子为末，酒服之方寸匕⑤，差。

烧灰淋汁，和石灰煎，治恶疮瘢黡⑥。

又，鬼气，取子为末，酒服之方寸匕，瘥。

烧灰淋汁，和石灰煎，治恶疮瘢黡。

注

①风毒：是指感受风邪后，身体里产生毒邪滞留的
　症状，如风疹、胀气、憋闷和不明原因的游走性
　疼痛等。

②傅：通"敷"，涂抹。

③春便：《大观本草》作"前"。

④骨蒸：肝肾阴虚、阴液不足表现的症状。形容有
　热自骨内向外透发的感觉。

⑤方寸匕：系古代量取药末的器具名。其形状如刀
　匕，一方寸匕大小为古代一寸正方，其容量相当
　于十粒梧桐子大。《千金要方》卷一："方寸匕者，
　作匕正方一寸抄散，取不落为度。"又有一方寸
　匕约等于2.74毫升，盛金石药末约为2克，草木
　药末为1克左右一说。

⑥黡：黑痣。《政和》误作"黡"。

菌 子

　　寒。发五藏风①壅经脉，动痔病，令人昏昏多睡，
背膊、四肢无力。

　　又，菌子有数般，槐树上生者良。野田中者，
恐有毒，杀人。

又，多发冷气，令腹中微微痛。

①五脏风：即内风。由脏腑功能失调、气血逆乱而生，
多起病急促，症状的出现有如风一样迅速而多动
多变，故称为"内风"。

牵牛子

多食稍冷，和山茱萸服之，去水病。

羊蹄①

主痒，不宜多食。

①羊蹄：为蓼科植物羊蹄。叶可作菜，根入药，性
寒味苦，有小毒。有清热、凉血、止血、解毒杀虫、
疗癣之效。外用内服均可。

菰菜、茭首①

利五藏邪气，酒皶②面赤，白癞疠疡③，目赤等，
效。然滑中④，不可多食。热毒风气，卒心痛⑤，可盐、
醋煮食之。

若丹石热发，和鲫鱼煮作羹，食之三两顿，即

便差耳。

　　茭首：寒。主心胸中浮热风，食之发冷气，滋人齿，伤阳道，令下焦冷滑^⑥，不食甚好。

注

①茭首：现今称为茭笋，我国特有的水生蔬菜。茭首感染上黑粉菌后不会抽穗，茎部膨大呈纺锤状，即茭白，古人称为菰。

②皶（zhā）：古同"齇"，鼻子上的小红疱，俗称"酒糟鼻""酒渣鼻"。

③白癞疬疡：白癞，麻风病的一种表现。初起皮色逐渐变白，四肢麻木，顽痹无力，关节烦热，肌肤如针刺作痛。疬疡：中医病名，又名疬疡风，是一种皮肤病，又名花斑癣。《诸病源候论》卷第三十一："疬疡者，有颈边、胸前、腋下，自然斑剥点相连，色微白而圆，亦有乌色者，亦无痛痒，谓之疬疡风。"

④滑中：某些食物或药物妨碍脾胃功能，引起腹泻。中，即中焦，是脾胃所在的位置。

⑤卒心痛：突然出现的心前区疼痛，相当于现在的心绞痛。

⑥下焦冷滑：下焦的脏腑虚寒，出现腹泻、大便清冷稀薄、白带清稀、滑精等症状。

萹竹^①（萹蓄）

　　蚘虫心痛^②，面青，口中沫出，临死：取叶十斤，细切；以水三石三斗，煮如饧^③，去滓。通寒温，空心服一升，虫即下。至重者再服，仍通宿勿食，来日平明服之。

患痔：常取萹竹叶煮汁澄清。常用以作饭。

又，患热黄、五痔④：捣汁顿服一升，重者再服。

丹石发，冲眼目肿痛：取根一握，洗。捣以少水，绞取汁服之。若热肿处，捣根茎傅之。

注

①萹（biān）竹：一年生草本植物，多生郊野道旁，初夏于节间开淡红色或白色小花，入秋结子，嫩叶可入药。

②蛕（huí）虫心痛：蛕同"蛔"。心痛：中医所称的心痛可以是心前区的疼痛或剑突下胃脘部疼痛，这里指剑突下的疼痛。

③饧（xíng）：用麦芽或谷芽熬成的饴糖。

④五痔：病名，肛门痔五种类型之合称。《备急千金要方》卷二十三："夫五痔者，一曰牡痔，二曰牝痔，三曰脉痔，四曰肠痔，五曰血痔。"

甘蔗①

　　主黄疸。子②，生食大寒。主渴，润肺，发冷病。蒸熟暴之令口开，春取人③食之。性寒，通血脉，填骨髓。

注

①甘蔗：即香蕉。
②子：这里指果实。《开宝本草》："子，形圆长及生青，熟黄，南人皆食之。"
③春取人：春，原作"春"，当误。人，通"仁"，果仁。

蛇莓

　　主胸、胃热气，有蛇残不得食。
　　主孩子口噤①，以汁灌口中，死亦再活。

注

①口噤：牙关紧闭、口不能张开的症状。可见于多种疾病，如严重腹泻、高热、破伤风等，提示病情危重。

苦芙①

　　微寒。生食治漆疮。五月五日采，暴干作灰，傅面目、通身漆疮。不堪多食尔。

①芺（ǎo）：草名。

槐实

主邪气，产难，绝伤。

春初嫩叶亦可食，主瘾疹，牙齿诸风疼。

枸杞

寒。无毒。叶及子：并坚筋能老，除风，补益筋骨，能益人，去虚劳。

根：主去骨热①，消渴②。

叶和羊肉作羹，尤善益人。代茶法：煮汁饮之，益阳事。

能去眼中风痒赤膜，捣叶汁点之良。

又，取洗去泥③，和面拌作饮，煮熟吞之，去肾气尤良。又益精气。

注

①骨热：骨蒸潮热，是阴虚内热的典型表现。患者自觉发热，但一般体温不高或轻度升高，患者感觉阵阵发热如从骨髓中蒸出一样。

②消渴：中医病名，主要表现为口渴、多饮、消瘦。

③取洗去泥：疑丢失"根皮"二字。《药性论》中有近似方可以互参："取根皮洗去泥细锉。"

23

榆荚

平。上疗小儿痫疾，小便不利。

又方，患石淋[1]、茎又暴赤肿者：榆皮三两，熟捣，和三年米醋滓封茎上。日六七遍易。

又方，治女人石痈[2]、妒乳肿[2]。

案经：宜服丹石人。取叶煮食，时服一顿亦好。高昌[3]人多捣白皮为末，和蓝菜食之甚美。消食，利关节。

又，其子可作酱，食之甚香。然稍辛辣，能助肺气。杀诸虫，下（气，令人能食。又）心腹间恶气，内消之。陈滓者久服尤良。

又，涂诸疮癣妙。

又，卒冷气心痛[4]，食之差。

注

①石淋：病名，泌尿系统结石引起的腰部绞痛、小腹疼痛、排尿频急涩痛，有时小便排出结石。

②石痈：病名，坚硬如石的痈肿。妒乳肿：乳痈，相当于急性乳腺炎，多发于初产妇。

③高昌：古地名，在今新疆吐鲁番一带。

④冷气心痛：胃脘冷痛。

酸枣

平。主寒热结气，安五藏，疗不能眠。

24

木耳

寒。无毒。利五藏，宣肠胃气拥、毒气，不可多食。
惟益服丹石人。热发，和葱豉作羹。

桑

桑椹：性微寒。食之补五藏，耳目聪明，利关节，
和经脉，通血气，益精神。

桑根白皮：煮汁饮，利五藏。又入散用，下一
切风气水气。

桑叶：炙，煎饮之止渴，一如茶法。

桑皮：煮汁可染褐色，久不落。

柴：烧灰淋汁入炼五金家用。

食

食疗本草

读经典 学养生

SHI
LIAO
BEN
CAO

卷上

竹

淡竹上，甘竹次。主咳逆，消渴，痰饮[1]，喉痹[2]，鬼疰恶气[3]。杀小虫，除烦热。

苦竹叶：主口疮，目热，喑哑。

苦竹茹：主下热壅。

苦竹根：细剉一斤，水五升，煮取汁一升，分三服。大下心肺五藏热毒气。

笋：寒。主逆气，除烦热，又动气，能发冷癥[4]，不可多食。越有芦及箭笋，新者稍可食，陈者不可食。其淡竹及中母笋虽美，然发背闷脚气。苦笋不发痰。

竹笋不可共鲫鱼食之，使笋不消成癥病，不能行步。

慈竹：夏月逢雨，滴汁着地，生蓐[5]似鹿角，色白。取洗之，和姜、酱食之，主一切赤白痢。极验。

慈竹沥：疗热风，和食饮服之良。

淡竹沥：大寒。主中风大热，烦闷劳复。

淡竹茹：主噎膈，鼻衄。

竹实：通神明，轻身益气。

箽、淡、苦、甘[6]外，余皆不堪，不宜人。

注

①痰饮：人体水液代谢障碍而引起的局部病理产物，根据其停聚部位不同可引起不同的病症，出现相应的症状，如停聚在肺，则咳喘、咳吐痰涎，停聚在胃脘则腹胀，胃脘如有水鸣、呕吐、饮食减少，

停聚在心胸则心悸气短、胸闷等。

②喉痹：中医病名。表现为咽喉肿痛、声音嘶哑。

③鬼疰（zhù）恶气：疰，灌注、久住。鬼疰恶气：
具有传染性的引起慢性疾病的邪气，如引起肺痨
的邪气。

④冷癥：由寒邪所致的癥，患者腹内包块，遇寒疼
痛加剧，形寒肢冷，大便稀溏。

⑤蓐：陈草复生之义。此处指长出的新竹。

⑥篁、淡、苦、甘：指篁竹、淡竹、苦竹、甘竹。

吴茱萸

　　温。上主治心痛，下气，除咳逆，去藏中冷。能温脾气消食。

　　又方，生树皮，上牙疼痛痒等，（酒煎含之）立止。

　　又，（患风瘙痒痛者），取茱萸一升、清酒五升，二味和煮，取半升去滓，以汁微暖洗。①

　　如中风贼风，口偏不能语者，取茱萸一升，（美豉三升，）美清酒四升，和煮四五沸，冷服之半升。日三服，得小汗为差。

　　案经：杀鬼毒尤良。

　　又方：夫人冲冷风欲行房，阴缩不怒者，可取二七粒，（嚼）之良久，咽下津液。并用唾涂玉茎头即怒。

　　又，闭目者名榝②子，不宜食。

　　又方，食鱼骨在腹中，痛，煮汁一盏，服之即止（，其骨软出）。

　　又，鱼骨刺在肉中不出，及蛇骨者，（捣吴茱萸）以封其上，骨即烂出。

　　又，奔豚③气冲心，兼脚气上冲④者，可和生姜汁饮之，甚良。

　　微温。主痢，止泻，厚肠胃。肥健人不宜多食。

注

①又，患风瘙……暖洗：卷子本方原缺主治，据《嘉

《祛》补"患风瘙痒痛者"六字。

②欓（dǎng）：一种落叶乔木，枝上多有刺，羽状复叶，果实球形，成熟时红色，可以入药。

③奔豚：中医病名。表现为自觉气从少腹上冲咽喉，发作时常伴腹痛、呼吸急促、心悸、惊恐、烦躁不安。

④脚气上冲：或称脚气冲心，为脚气病的危重症，是脚气病患者突发气逆喘满、心悸烦热、神志异常等表现的凶险之候。

食疗本草

读经典 学养生

SHI
LIAO
BEN
CAO

卷上

槟榔

多食发热，南人生食。闽中名橄榄子。所来北者，煮熟、熏干将来[1]。

注

[1]将来：运来的。

栀子

主喑哑，紫癜风，黄疸，积热心躁。

又方，治下鲜血，栀子人^①烧成灰，水和一钱匕
服之。量其大小多少服之。

注

①人：通"仁"。

31

芜荑

平。上主治五内邪气，散皮肤支节间风气。能化食，去三虫[1]，逐寸白[2]，散腹中冷气。

又，患热疮，为末和猪脂涂，差。

又方，和白沙蜜治湿癣。

又方，和马酪治干癣，和沙牛酪疗一切疮。

案经：作酱食之，甚香美。其功尤胜于榆人，唯陈久者更良。可少吃，多食发热、心痛，为其味辛之故。秋天食之（尤）宜人。长吃治五种痔病。（诸病不生。）

又，杀肠恶虫。

注

①三虫：小儿常见的三种肠道寄生虫。《诸病源候论》
卷五十："三虫者，长虫、赤虫、蛲虫。"
②寸白：寸白虫，绦虫的别称。

茗

　　茗叶：利大肠，去热解痰。煮取汁，用煮粥良。

　　又，茶主下气，除好睡，消宿食，当日成者良。蒸、捣经宿，用陈故者，即动风发气。市人有用槐、柳初生嫩芽叶杂之。

蜀椒、秦椒

温。粒大者，主上气咳嗽、久风湿痹[1]。

又，患齿痛，醋煎含之。

又，伤损成疮中风，以面裹作馄饨，灰中炮之，使熟断开口，封其疮上，冷，易热者，三五度易之。亦治伤损成弓风。

又去久患口疮，去闭口者，以水洗之，以面拌煮作粥，空心吞之三、五匙，以饭压之。重者可再服，以差为度。

又，秦椒：温，辛，有毒。主风邪腹痛、寒痹。温中，去齿痛，坚齿发，明目，止呕逆，灭瘢，生毛发，出汗，下气，通神，去老血，利五藏。治生产后诸疾，下乳汁。久服令人气喘促。十月勿食，及闭口者大忌。子细黑者是，秦椒白色也。

除客热，不可久食，钝人性灵。

注

[1]痹：痹证是以关节肌肉疼痛拘急为主要特征的一类疾病，由感受风、寒、湿邪引起气血阻滞所致。风、寒、湿邪气的偏盛不同，痹证的表现不同，如风邪为盛者称为风痹，以关节肌肉游走性疼痛、痛处不定为主要特点。

蔓椒

主贼风挛急。

椿

温。动风，熏十二经脉、五藏六腑。多食令人神不清，血气微。

又，女子血崩及产后血不止，月信来多，可取东引细根一大握洗之，以水一大升煮，分再服便断。亦止赤带[1]下。

又，椿俗名猪椿。疗小儿疳痢[2]，可多煮汁后灌之。

又，取白皮一握，仓粳米五十粒，葱白一握，甘草三寸炙，豉两合，以水一升，煮取半升，顿服之。小儿以意服之。枝叶与皮功用皆同。

注

① 赤带：中医病名。非月经期，阴道内流出红色或红白相间的黏液，称为赤带或赤白带。可见于排卵期出血、子宫颈出血、宫颈息肉出血、生殖道肿瘤出血等疾病等。

② 疳痢：患疳积又合并痢疾。疳积为中医病名，主要表现为小儿面黄肌瘦、毛发焦枯、肚大筋露、食欲不振、精神萎靡、大便不调。

食疗本草
读经典 学养生

SHI
LIAO
BEN
CAO

卷
上

樗①

主疳痢，杀蛔虫。又名臭椿。若和猪肉、热面频食，则中满，盖壅经脉也。

注

①樗（chū）：即臭椿。

郁李仁

气结者，酒服人四十九粒，更泻，尤良。
又，破癖气①，能下四肢水。

食
疗
本
草

读经典
学养生

SHI
LIAO
BEN
CAO

卷上

注

①癖（pǐ）气：中医病名。由于水液积聚停滞于两胁，
　两胁痞满，时时作痛的病症。

胡椒

治五藏风冷，冷气心腹痛，吐清水，酒服之佳。
亦宜汤服。若冷气，吞三七枚。

食疗本草

读经典 学养生

SHI
LIAO
BEN
CAO

卷上

橡实

主止痢，不宜多食。

鼠李

微寒。主腹胀满。其根有毒，煮浓汁含之治蜃齿。并疳虫蚀人脊骨[1]者，可煮浓汁灌之食。

其肉：主胀满谷胀。和面作饼子，空心食之，少时当泻。

其煮根汁，亦空心服一盏，治脊骨疳。

注

[1]疳虫蚀人脊骨：古人认为小儿疳积由疳虫所致，与体内寄生虫有关。严重时小儿极度消瘦，脊骨显露，被认为由疳虫消蚀人的脊柱所致，因而有疳虫蚀人脊骨的说法。

枳椇[1]

　　多食发蛔虫。昔有南人修舍用此，误有一片落在酒瓮中，其酒化为水味。

注

①枳椇（jǔ）：俗称"拐枣"。

食疗本草

读经典 学养生

SHI
LIAO
BEN
CAO

卷上

棐①（榧）子

平。上主治五种痔，去三虫，杀鬼毒，恶疰。

又，患寸白虫人，日食七颗，经七日满，其虫尽消作水即差。

按经：多食三升、二升佳，不发病。令人消食，助筋骨，安荣卫，补中益气，明目轻身。

注

①棐（fěi）：通"榧"，木名。

食

食疗本草

读经典学养生

SHI
LIAO
BEN
CAO

卷上

藕

寒。上主补中焦，养神，益气力，除百病。久服轻身耐寒，不饥延年。

生食则主治霍乱后虚渴、烦闷、不能食。长服生肌肉，令人心喜悦。

案经：神仙家重之，功不可说。其子能益气，即神仙之食，不可具说。

凡产后诸忌，生冷物不食，唯藕不同生类也，为能散血之故。但美即而已[1]，可以代粮。

又，蒸食甚补益（五藏，实）下焦，令肠胃肥浓[2]，益气力。与蜜食相宜，令腹中不生诸虫。（亦可休粮。）仙家有贮石莲子及干藕经千年者，食之不饥，轻身能飞，至妙。世人何可得之？

凡男子食，须蒸熟服之，生吃损血。

注

[1]美即而已：尝尝藕的美味即可，不必多吃。
[2]肥浓：功能健旺。

莲子

寒。上主治五藏不足，伤中气绝，利益十二经脉、廿五络血气。生吃微动气，蒸熟为上。

又方，（熟）去心，曝干为末，著蜡及蜜，等

分为丸服。（日服三十丸），令（人）不饥。学仙
人最为胜。

若雁腹中者，空腹服之七枚，身轻，能登高涉远。
采其雁（食）之，或粪于野田中，经年犹生。

又，或于山岩石下息、粪中者，不逢阴雨，数
年不坏。

又，诸飞鸟及猿猴，藏之于石室之内，其猿、
鸟死后，经数百年者，取得之服，永世不老也。

其子房及叶皆破血。

又，根停久者，即有紫色。叶亦有褐色，多采食之，
令人能变黑如瑿①。

注

①瑿（yī）：黑色的美玉。

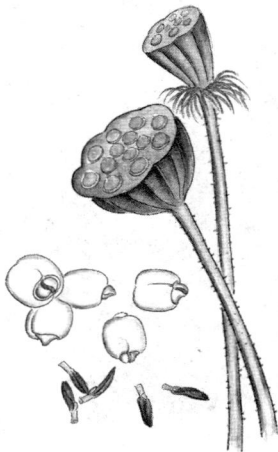

橘

（穰：）止泄痢。食之，下食，开胸膈痰实结气。下气不如皮也。穰不可多食，止气。性虽温，甚能止渴。

皮：主胸中瘕气热逆。

又，干皮一斤，捣为末，蜜为丸。每食前酒下三十丸，治下焦冷气。

又，取陈皮一斤，和杏仁五两，去皮尖熬，加少蜜为丸。每日食前饮下三十丸，下腹藏间虚冷气。脚气冲心，心下结硬，悉主之。

柚

味酸。不能食。可以起盘。

橙

温。去恶心，胃风^①：取其皮和盐贮之。

又，瓤：去恶气。和盐蜜细细食之。

注

①胃风：中医病名。中医认为胃风是胃腑受风邪造
成的病症，主要表现为脘腑胀满，食欲不振，受
风则腹胀加重，进食生冷则腹泻，颈部易出汗，
怕风，形体消瘦而腹部鼓胀。

干枣

温。主补津液，养脾气，强志。三年陈者核中人：
主恶气、卒疰忤^①。

又，疗耳聋、鼻塞，不闻音声、香臭者：取大
枣十五枚，去皮核；蓖麻子三百颗，去皮。二味和
捣，绵裹塞耳鼻。日一度易，三十余日闻声及香臭。
先治耳，后治鼻，不可并塞之。

又方，巴豆十粒，去壳生用。松脂同捣，绵裹塞耳。

又云，洗心腹邪气，和百药毒。通九窍，补不足气。

生者食之过多，令人腹胀。蒸煮食之，补肠胃，

45

肥中益气。第一青州^②，次蒲州^③者好。诸处不堪入药。

小儿患秋痢，与虫枣食，良。

枣和桂心、白瓜人、松树皮为丸，久服香身，并衣亦香。

注

①痓（zhù）忤：中医病名，又称为"客忤""中恶"。指感受秽毒或不正之气，突然厥逆，不省人事。

②青州：地名，在今山东潍坊一带。

③蒲州：地名，在今山西永济一带。

软枣

平。多食动风，令人病冷气，发咳嗽。

蒲桃（葡萄）

平。上益脏气，强志，疗肠间宿水，调中。

按经：不问土地，但取藤，收之酿酒，皆得美好。

其子不宜多食，令人心卒烦闷，犹如火燎。亦发黄病^①。凡热疾后不可食之。眼暗、骨热，久成麻疖^②病。

又方，其根可煮取浓汁饮之，（止）呕哕及霍乱后恶心。

又方，女人有娠，往往子上冲心^③。细细饮之即止。其子便下，胎安好。

注

①黄病：中医病名。由瘀热宿食相搏所致的身体面
目皆变黄色的病症。

②麻疠：仅见于本书，其他中医古籍中未见此病相
关记载，疑为误书。

③子上冲心：中医病名，也称"子悬"或"胎上逼心"。
妊娠中后期出现以胸腹胀满、甚则喘急、烦躁不
安为主要表现的妊娠并发症。

栗子

食疗本草

读经典 学养生

SHI
LIAO
BEN
CAO

卷上

生食治腰脚。蒸炒食之，令气拥，患风水气①不宜食。

又，树皮：主瘅疮毒②。

谨按：宜日中暴干，食即下气、补益。不尔犹有木气，不补益。就中吴栗大，无味，不如北栗也。其上薄皮，研，和蜜涂面，展皱。

又，壳：煮汁饮之，止反胃、消渴。

今有所食生栗，可于热灰中煨之，令才汗出，即唉之，甚破气。不得使通熟，熟即拥气。生即发气，故火煨杀其木气耳。

注

①风水气：中医病名，外感风邪引起的水肿病，相当于急性肾小球肾炎。

②瘅（dān）疮毒：热毒疮疡。瘅，热毒。

覆盆子

　　平。上主益气轻身，令人发不白。其味甜、酸。五月麦田中得者良。采其子于烈日中晒之，若天雨即烂，不堪收也。江东十月有悬钩子，稍小，异形。气味一同。然北地无悬钩子，南方无覆盆子，盖土地殊①也。虽两种则不是两种之物，其功用亦相似。

注

①殊：不同。

食
读食疗
经典本
学养草
生

SHI
LIAO
BEN
CAO

卷
上

芡实（菱实）

平。上主治安中焦，补藏腑气，令人不饥。仙家亦蒸熟曝干作末，和蜜食之休粮。

凡水中之果，此物最发冷气，不能治众疾。（令人藏冷，）损阴，令玉茎①消衰。

（可少食。多食）令人或腹胀者，以姜、酒一盏，饮即消。含吴茱萸子咽其液亦消。

注

①玉茎：男性阴茎。

鸡头子（芡实）

寒。主温，治风痹，腰脊强直，膝痛；补中焦，益精，强志意，耳目聪明。作粉食之，甚好。此是长生之药。与莲实同食，令小儿不（能）长大，故知长服当亦驻年。

生食动少气。可取蒸，于烈日中曝之，其皮壳自开。捼却皮，取人食，甚美。可候皮开，于臼中舂取末。

梅实

食之除闷，安神。乌梅多食损齿。

又，刺在肉中，嚼白梅封之①，刺即出。

又，大便不通，气奔欲死，以乌梅十颗置汤中，须臾挼去核，杵为丸，如枣大。内下部，少时即通。

谨按：劈破水渍，以少蜜相和，止渴、霍乱心腹不安及痢赤。治疟方多用之。

注

①白梅：未成熟的梅树果实称为青梅，青梅经过盐腌曝晒干燥后称为白梅，以白草烟熏至黑色则为乌梅。

木瓜

温。上主治霍乱（呕哕①），涩痹风气。

又，顽痹人若吐逆下（利），病转筋不止者，取枝叶煮汤饮之愈。

（脚膝筋急痛，煮木瓜令烂，研作浆粥样，用裹痛处。冷即易，一宿三五度，热裹便差。煮木瓜时，入一半酒同煮之。

谨按：枝叶煮之饮，亦治霍乱，）去风气，消痰。每欲霍乱时，但呼其名字。亦不可多食，损齿（及骨）。

又，脐下绞痛，可以木瓜一片，桑叶七枚炙，大枣三个中破，以水二大升，煮取半大升，顿服之即（差）。

注

①哕（wā）：古同"哕"，干呕。

楂子①

平。上多食损齿及损筋。唯治霍乱转筋，煮汁饮之。与木瓜功相似，而小者不如也。昔孔安国不识，而谓梨之不藏者。今验其形小，况相似。江南将为果子，顿食之。其酸涩也，亦无所益。俗呼为樗梨也。

注

①楂子：蔷薇科植物木桃的果实。

柿

寒。主通鼻、耳气，补虚劳不足。

谨按：干柿，厚肠胃，温中，健脾胃气，消宿血。

又，红柿：补气，续经脉气。

又，醂柿①：涩下膲，健脾胃气，消宿血。作饼及糕，与小儿食，治秋痢。

又，研柿，先煮粥欲熟，即下柿，更三两沸，与小儿饱食，并奶母吃亦良。

又，干柿二斤，酥一斤，蜜半升。先和酥、蜜，铛中消之。下柿，煎十数沸，不津器②贮之。每日空腹服三五枚，疗男子、女人脾虚、腹肚薄、食不消化。面上黑点，久服甚良。

食疗本草

读经典学养生

SHI
LIAO
BEN
CAO

卷上

注

①酞（lǎn）柿：储藏后熟透的柿子。酞，一种浸渍
储藏柿子、使之速熟的方法。
②不津器：不渗漏的器皿。津，渗。

芋

平。上主宽缓肠胃，去死肌，令脂肉悦泽。

白净者无味，紫色者良，破气。煮汁饮之止渴。
十月已后收之，曝干。冬蒸服则不发病，余外不可服。

又，和（鲫鱼、鳢）鱼煮为羹，甚下气，补中焦良。
（久食，）令人虚，无气力。此物但先肥而已。

又，煮生芋汁，可洗垢腻衣，能洁白（如玉）。

又，煮汁浴之，去身上浮气。浴了，慎风半日许。

凫茨

冷。下丹石，消风毒，除胸中实热气。可作粉
食。明耳目，止渴，消疸黄。若先有冷气，不可食。
令人腹胀气满。小儿秋食，脐下当痛。

茨菰

主消渴，下石淋。不可多食。吴人好啖之，令
人患脚。

又，发脚气，瘫缓风。损齿，紫黑色。令人失颜色，

皮肉干燥。卒食之，令人呕水。

枇杷

温。利五藏，久食亦发热黄。

子：食之润肺，热上膲。若和热炙肉及热面食之，令人患热毒黄病。

卒呕不止、不欲食。

又，煮汁饮之，止渴。偏理肺及肺风疮①、胸面上疮。

注

①肺风疮：肺脏受风邪侵袭而引起皮肤疔疮或皮疹瘙痒。

荔枝

微温。食之通神益智，健气及颜色，多食则发热。

柑子

寒。堪食之，其皮不任药用。初未霜时，亦酸；及得霜后，方即甜美。故名之曰"甘"。

利肠胃热毒，下丹石，渴。食多令人肺燥，冷中，发痃癖[1]病也。

注

[1] 痃（xuán）癖：中医病名，脐腹偏侧或胁肋部时有筋脉攻撑急痛的病症。

甘蔗

主补气，兼下气。不可共酒食，发痰。

食疗本草

读经典 学养生

SHI
LIAO
BEN
CAO

卷
上

石蜜①

寒。上心腹胀热，口干渴。波斯者良。注少许于目中，除去热膜，明目。蜀川者为次。今东吴亦有，并不如波斯。此皆是煎甘蔗汁及牛乳汁，煎则细臼耳。

又，和枣肉及巨胜②人作末为丸，每食后含一丸如李核大，咽之津，润肺气，助五藏津。

注

①石蜜：亦作"石密"。用甘蔗炼成的糖。
②巨胜：大粒黑芝麻。

沙糖

寒。上功体与石蜜同也。多食令人心痛。养三虫，消肌肉，损牙齿，发疳䘌①。不可多服之。

又，不可与鲫鱼同食，成疳虫。

又，不与葵同食，生流澼②。

又，不可共笋食之，（使）笋不消，成瘕病心腹痛。（身）重不能行履。

注

①疳䘌（gān nì）：即鼻疳。表现为鼻前孔附近糜烂、结痂、灼痒、反复发作、经久不愈，且面黄肌瘦，毛发干枯。
②流澼：同"流癖"，又称"痃癖"。

桃人

温。杀三虫，止心痛。

又，女人阴中生疮，如虫咬、疼痛者，可生捣叶，绵裹内阴中，日三四易，差。亦煮汁洗之。今案：煮皮洗之良。

又，三月三日收花晒干，杵末，以水服二钱匕。小儿半钱，治心腹痛。

又，秃疮①：收未开花阴干，与桑椹赤者，等分作末，以猪脂和。先用灰汁洗去疮痂，即涂药。

又云，桃能发诸丹石，不可食之。生者尤损人。

又，白毛，主恶鬼邪气。胶亦然。

又，桃符及奴②，主精魅邪气。符，煮汁饮之。奴者，丸、散服之。

桃人：每夜嚼一颗，和蜜涂手、面良。

注

① 秃疮：中医病名。表现为头发根初起白痂，瘙痒难忍，蔓延成片，久则局部头发脱落，形成秃斑，但愈后毛发常可再生。

② 桃符及奴：桃符和桃奴。桃奴是未成熟即干枯、挂在桃树上的桃子。

樱桃

热。益气，多食无损。

食疗本草

读经典 学养生

SHI
LIAO
BEN
CAO

卷上

又云，此名"樱"，非"桃"也。不可多食，令人发闇风①。

温。多食有所损。令人好颜色，美志。此名"樱桃"，俗名"李桃"，亦名"奈桃"者是也。甚补中益气，主水谷痢②，止泄精。

东行根：疗寸白、蛔虫。

注

①闇风：主要表现为缓慢出现的头晕眼黑，因其发病过程缓慢，往往在不知不觉中逐步发病，遂以暗风为名。

②水谷痢：中医病名。表现为腹泻腹痛，大便中可见未消化的食物。

60

食疗本草

读经典学养生

食
疗
本
草

SHI
LIAO
BEN
CAO

卷
上

杏

热。主咳逆上气，金创，惊痫，心下烦热，风
气头痛。

面䵟①者，取人去皮，捣和鸡子白。夜卧涂面，
明早以暖清酒洗之。

人患卒瘂②，取杏人三分，去皮尖熬，捣作脂。
别杵桂心一分，和如泥。取李核大，绵裹含，细细咽之，
日五夜三。

谨按：心腹中结伏气，杏仁、橘皮、桂心、诃
梨勒③皮为丸，空心服三十丸，无忌。

又，烧令烟尽，去皮，以乱发裹之，咬于所患齿下，
其痛便止。熏诸虫出，并去风便瘥。重者不过再服。

又，烧令烟尽，研如泥，绵裹内女人阴中，治虫疳。

注

①䵟（gǎn）：皮肤黧黑枯槁。
②瘂（yǎ）：同"哑"。
③诃梨勒：常绿乔木，果实可入药。

石榴

温。实：主谷利、泄精。

疣虫、白虫。

按经：久食损齿令黑。其皮炙令黄，捣为末，

和枣肉为丸,(空腹)日服卅丸,后以饭押(,日二服)。断赤白痢。

又,久患赤白痢,肠肚绞痛,以醋石榴一个,捣令碎,布绞取汁,空腹顿服之立止。

又,其花叶阴干,捣为末,和铁丹①服之。一年白发尽黑,益面红色。仙家重此,不尽书其方。

注

①铁丹:道家所炼丹石的一种。

梨

寒。除客热，止心烦。不可多食。

又，卒咳嗽，以冻梨一颗刺作五十孔，每孔中内以椒一粒。以面裹于热灰中煨，令极熟，出停冷，去椒食之。

又方，梨去核，内酥、蜜，面裹烧令熟。食之大良。

又方，去皮，割梨肉，内于酥中煎之。停冷食之。

又，捣汁一升，酥一两，蜜一两，地黄汁一升，缓火煎，细细含咽。凡治嗽，皆须待冷，喘息定后方食。热食之，反伤矣，令嗽更极不可救。如此者，可作羊肉汤饼，饱食之，便卧少时。

又，胸中痞塞[①]、热结者，可多食好生梨即通。

又云，卒暗风，失音不语者，生捣梨汁一合，顿服之，日再服，止。

金疮及产妇不可食，大忌。

注

①痞塞：郁结，阻滞不通。

林檎[①]

温。主谷痢、泄精。

东行根治白虫、蛔虫。

主止消渴。好睡，不可多食。

又，林檎：味苦涩，平，无毒。食之闭百脉。

注

①林檎：现多称为花红或沙果，像苹果而小，为常见水果。

李

平。主女人卒赤、白下：取李树东面皮，去外皮，炙令黄香。以水三升，煮汁去滓服之，日再验①。

谨按：生李亦去骨节间劳热，不可多食之。临水食之，令人发痰疟②。

又，牛李③：有毒。煮汁使浓，含之治𧏾齿。脊骨有疳虫，可后灌此汁，更空腹服一盏。

其子中人：主鼓胀④。研和面作饼子，空腹食之，少顷当泻矣。

注

①再：两次。验：效果好。

②痰疟：中医病名，重症疟疾。表现为发作时寒热交作，热多寒少，头痛眩晕，痰多呕逆。严重时可出现昏迷抽搐，相当于脑型疟疾。

③牛李：鼠李的古名，又名山李子、臭李子等。

④鼓胀：中医病名。指肝病日久，气滞血瘀，水湿内停于腹中，以腹胀大如鼓、皮色苍黄、脉络暴露为主要临床表现。

羊（杨）梅

温。上主和藏腑，调腹胃，除烦愦，消恶气，去痰实。

（亦）不可多食，损人（齿及）筋（也），然（甚能）断下痢。

又，烧为灰（亦）断下痢。其味酸美，小有胜白梅。

又，取干者，常含一枚，咽其液，亦通利五藏，下少气。

若多食，损人筋骨。甚酸之物，是土地使然。若南人北，杏亦不食；北人南，梅亦唊多。皆是地气郁蒸，令烦愦，好食斯物也。

胡桃

平。上（卒）不可多食，动痰（饮）。

案经：除去风，润脂肉，令人能食。不得多食之，计日月，渐渐服食。通经络气，（润）血脉，黑人髭发、毛落再生也。

又，烧至烟尽，研为泥，和胡粉[1]为膏。拔去白发，傅之即黑毛发生。

又，仙家压油，和詹香[2]涂黄发，便黑如漆，光润。

初服日一颗，后随日加一颗，至廿颗，定得骨细肉润。

又方，（能差）一切痔病。

案经：动风，益气，发痼疾[3]。多吃不宜。

注

① 胡粉：用矿物铅制作成的铅粉，主要成分为碱式碳酸盐。

② 詹香：又名花木香、必果香。《本草纲目》记载："必果香生高山中。叶如老椿，捣置上流，鱼悉暴腮而死。木白鱼不损书也。"

③ 痼疾：经久不愈的顽疾。

藤梨

寒。上主下丹石，利五藏。其熟时，收取瓢和蜜煎作煎。服之去烦热，止消渴。久食发冷气，损脾胃。

枣

益心气，主补中膲诸不足气，和脾。卒患食后气不通，生捣汁服之。

橄榄[1]

主鳀鱼[2]毒，（煮）汁服之。中此鱼肝、子毒，人立死，惟此木能解。出岭南山谷。大树阔数围，实长寸许。其子先生者向下，后生者渐高。至八月熟，蜜藏极甜。

注

[1]橄榄：橄榄。
[2]鳀鱼：即河豚。

食疗本草

读经典 学养生

SHI
LIAO
BEN
CAO

卷中

卷中

麝香

作末服之，辟诸毒热，煞蛇毒，除惊怪①恍惚②。蛮人常食。似獐肉而腥气。蛮人云：食之不畏蛇毒故也。

脐③中有香，除百病，治一切恶气疰④病。研了，以水服之。

注

①怪：《政和本草》作"怖"。

②恍惚：神志不清。

③脐：指麝的香腺囊。雄麝香腺囊内的分泌物即为麝香。

④疰（zhù）：慢性传染病。

熊

食

读经典　学养生

食疗本草

SHI
LIAO
BEN
CAO

卷中

熊脂：微寒，甘滑。冬中凝白时取之，作生无以偕也[1]。脂入拔白发膏中用，极良。脂与猪脂相和燃灯，烟入人目中，令失光明。缘熊脂烟损人眼光。

肉：平，味甘，无毒。主风痹筋骨不仁。若腹中有积聚寒热者，食熊肉永不除差。

其骨煮汤浴之，主历节风[2]，亦主小儿客忤[3]。

胆：寒。主时气盛热，疳蜃，小儿惊痫[4]。十月勿食，伤神。

小儿惊痫瘛疭[5]，熊胆两大豆许，和乳汁及竹沥服并得，去心中涎良。

注

①作生无以偕也：（熊身上其他部位的脂肪）不能和直接从熊背上取的脂肪相比。作生，指未经加工处理。

②历节风：中医病名，痹症的一种。症状表现为关节肿胀疼痛，游走不定，痛势较为剧烈，关节屈伸不利，或伴有红肿。与今痛风类似。

③小儿客忤：中医病名。小儿突然受到惊吓，引起吐泻、腹痛、睡卧不安、手足抽搐等症状。

④惊痫：中医病名。每因惊恐引起，后世多称为急惊风。

⑤瘛疭（chì zòng）：中医症状，指手足抽搐。

牛

食疗本草
读经典 学养生

SHI
LIAO
BEN
CAO

卷中

牛者稼穑之资，不多屠杀。自死者，血脉已绝，骨髓已竭，不堪食。黄牛发药动病，黑牛尤不可食。黑牛尿及屎，只入药。

又，头、蹄：下热风，患冷人不可食。

肝：治痢。又，肝醋煮食之，治瘦。

肚：主消渴，风眩，补五脏，以醋煮食之。

肾：主补肾。

髓：安五脏，平三焦，温中。久服增年。以酒送之。

黑牛髓，和地黄汁、白蜜等分。作煎①服之，治瘦病②。恐是牛脂也。

粪：主霍乱，煮饮之。乌牛粪为上。又小儿夜啼，取干牛粪如手大，安卧席下，勿令母知，子、母俱吉。

又，妇人无乳汁，取牛鼻作羹，空心食之，不过三两日，有汁下无限。若中年壮盛者，食之良。

又，宰之尚不堪食，非论自死者③。其牛肉取三斤，烂切。将唊④解槽咬人恶马，只两唊后，颇甚驯良。若三五顿后，其马狞钝⑤不堪骑。十二月勿食，伤神。

注

①煎：此处应作"膏"之意。

②瘦病：消瘦。

③宰之尚不堪食，非论自死者：被人屠宰的牛尚且不能食用，更不必说自己死亡的牛了。

④唊：喂给。

⑤狞钝：驽钝。

牛乳

寒。患热风①人宜服之。患冷气②人不宜服之。

乌牛乳酪：寒。主热毒，止渴，除胸中热。

①热风：风热病证。
②冷气：寒性病证。

羊

角：主惊邪，明目，辟鬼，安心益气。烧角作灰，治鬼气并漏下①恶血②。

羊肉：温。主风眩瘦病，小儿惊痫，丈夫五劳七伤③，脏气虚寒。河西④羊最佳，河东⑤羊亦好。纵驱至南方，筋力自劳损，安能补益人？

羊肉：妊娠人勿多食。患天行⑥及疟人食，令发热困重致死。

头肉：平。主缓中，汗出虚劳，安心止惊。宿有冷病患勿多食。主热风眩，瘦疾，小儿痫，兼补胃虚损及丈夫五劳骨热。热病后宜食羊头肉。

肚：主补胃病虚损，小便数，止虚汗。以肥肚作羹食，三五度差。

食读经典
疗学养生
本
草

SHI
LIAO
BEN
CAO

卷
中

肝：性冷。治肝风虚热，目赤暗痛，热病后失明者，以青羊肝或子肝薄切，水浸敷之，极效。生子肝吞之尤妙。主目失明，取羖羊[7]肝一斤，去脂膜薄切，以未着水新瓦盆一口，揩令净，铺肝于盆中，置于炭火上塼[8]，令脂汁尽。候极干，取决明子半升、蓼子[9]一合，炒令香为末，和肝杵之为末。以白蜜浆下方寸匕。食后服之，日三，加至三匕止，不过二剂，目极明。一年服之妙，夜见文本并诸物。

其羖羊，即骨历羊[10]是也。常患眼痛涩，不能视物，及看日光并灯火光不得者，取熟羊头眼睛中白珠子二枚，于细石上和枣汁研之，取如小麻子大，安眼睛上，仰卧。日二夜二，不过三四度差。

羊心：补心肺，从三月至五月，其中有虫如马尾毛，长二三寸已来。须割去之，不去令人痢。

羊毛：醋煮裹脚，治转筋。

又，取皮去毛煮羹，补虚劳。煮作臛[11]食之，去一切风，治脚中虚风。

羊骨：热。主治虚劳，患宿热人勿食。

髓：酒服之，补血。主女人风血虚闷。

头中髓：发风。若和酒服，则迷人心，便成中风也。

羊屎：黑人毛发。主箭镞不出。粪和雁膏敷毛发落，三宿生。

白羊黑头者，勿食之。令人患肠痈[12]。一角羊不可食。六月勿食羊，伤神。

谨按：南方羊都不与盐食之，多在山中吃野草，或食毒草。若北羊，一二年间亦不可食，食必病生尔。为其来南地食毒草故也。若南地人食之，即不忧也。今将北羊于南地养三年之后，犹亦不中食，何况于南羊能堪食乎？盖土地各然也。

食读经典

食疗 学养生

本草

SHI
LIAO
BEN
CAO

卷中

注

①漏下：中医病名。妇女劳伤，气虚，致阴道出血，非时而下。
②恶血：指溢出血脉、积存在组织间隙的坏死血液。
③五劳七伤：此处泛指虚损证。
④河西：唐方镇名，治所在凉州，即今甘肃武威，辖境相当于今甘肃省河西走廊。
⑤河东：唐方镇名。治所在今山西太原，辖境相当于今山西内长城以南，中阳、灵石、沁源、榆社、左权以北地区。
⑥天行：时疫，传染性流行病。
⑦羖：黑色羊。
⑧煿（bó）：烘烤。
⑨蓼（liǎo）子：蓼为一年生草本植物，叶披针形，花小，白色或浅红色，果实卵形、扁平，生长在水边或水中。茎叶味辛辣，可用以调味。全草入药。亦称"水蓼"。
⑩骨历羊：即羖䍽羊，又称羖羊，指黑色的羊。
⑪膧：肉羹。
⑫肠痈：中医病名。症见小腹疼痛拒按，伴发热恶寒。

食疗本草

读食经典学养生

SHI
LIAO
BEN
CAO

卷中

羊乳

补肺肾气，和小肠。亦主消渴，治虚劳，益精气。合脂作羹食，补肾虚。

羊乳治卒心痛，可温服之。

亦主女子与男子中风。蚰蜒①入耳，以羊乳灌耳中即成水。

又，主小儿口中烂疮，取敉羊生乳，含五六日差②。

注

①蚰蜒：一种节肢动物，像蜈蚣而略小，体色黄褐，有十五对足，生活在阴湿环境，捕食小虫。
②差（chài）：同"瘥"，病愈。

酥①

寒。除胸中热，补五脏，利肠胃。

水牛酥功同，寒，与羊酪同功。羊酥真者胜牛酥。

注

①酥：为牛乳或羊乳经提炼而成的酥油。

酪①

寒。主热毒，止渴，除胃中热。患冷人勿食羊乳酪。

食疗本草

读经典学养生

SHI
LIAO
BEN
CAO

卷中

注

①酪：为牛、羊、马等动物的乳汁炼制而成的食品。

醍醐①

平。主风邪，通润骨髓。性冷利，乃酥之本精液也。

注

①醍醐：为牛乳炼制而成的以脂肪为主的食品。做乳酪时，上一层重凝者为酥，酥上如油者为醍醐。

乳腐①

微寒。润五脏，利大小便，益十二经脉。微动气。细切如豆，面拌，醋浆水②煮二十余沸，治赤白痢。小儿患，服之弥佳。

注

①乳腐：为牛乳、羊乳等乳类的加工品，又称乳饼。
②醋浆水：用米汤发酵后制成的酸汤。

马

白马黑头，食令人癫。白马自死，食之害人。

食疗本草

读经典 学养生

SHI
LIAO
BEN
CAO

卷中

肉：冷，有小毒。主肠中热，除下气，长筋骨。

不与仓米同食，必卒得恶，十有九死。不与姜同食，生气嗽。其肉多着浸洗方煮，得烂熟兼去血尽，始可煮食。肥者亦然，不尔毒不出。

又，食诸马肉心闷，饮清酒即解，浊酒即加。

赤马蹄：主辟温疟。

悬蹄：主惊痫。

又，恶刺疮①，取黑骏马②尿热渍，当虫出愈。数数③洗之。

白秃疮④，以骏马不乏者尿，数数暖洗之十遍，差。

患丁肿⑤，中风疼痛者，爤⑥驴马粪，熨疮满五十遍，极效。

患杖疮并打损疮，中风疼痛者，爤马驴湿粪，分取半，替换热熨之。冷则易之，日五十遍，极效。

男子患⑦，未可及，新差后，合阴阳，垂至死。取白马粪五升，绞取汁，好器中盛停一宿，一服三合，日夜二服。

又，小儿患头疮，烧马骨作灰，和醋敷。亦治身上疮。

又，白马脂五两，封疮上。稍稍封之，白秃者发即生。

又，马汗入人疮，毒气攻作脓，心懑欲绝者，烧粟秆草作灰，浓淋作浓灰汁，热煮，蘸疮于灰汁中，须臾白沫出尽即差。白沫者，是毒气也。此方岭南新有人曾得力。

凡生马血入人肉中，多只三两日便肿，连心则死。有人剥马，被骨伤手指，血入肉中，一夜致死。

又，膺胵⑧，次胪胵⑨也。蹄无夜眼⑩者勿食。又黑脊而斑不可食。患疮疥人切不得食，加增难差。

赤马皮临产铺之，令产母坐上催生。

白马茎：益丈夫阴气⑪，阴干者末，和苁蓉⑫蜜丸，空腹酒下四十丸，日再，百日见效。

（马心）：患痫人不得食。

注

① 恶刺疮：严重的刺伤引起的溃烂。

② 驳马：毛色不纯、青白相杂的马。

③ 数数：常常，多次。

④ 白秃疮：中医病名。头癣、白癣。

⑤ 丁肿：疔疮肿毒。

⑥ 熮（chǎo）：炒热。

⑦ 男子患：此处缺省应为"时行病"，即男子患流行性传染病。

⑧ 膺胵：马腹下的膘肉。膺为胸。

⑨ 胪胵：马腹下的膘肉。腹前曰胪。

⑩ 夜眼：指马前肢腕骨上和后肢跗骨下方的一部分无毛又坚固的灰白色胼胝体。

⑪ 阴气：即阴器，代指性功能。

⑫ 苁蓉：中药名。性温，味甘咸。可补肾壮阳，润肠通便。

鹿

读经典 学养生

食疗本草

SHI
LIAO
BEN
CAO

卷中

鹿茸：主益气。不可以鼻嗅其茸，中有小白虫，视之不见，入人鼻必为虫颡①，药不及也。

鹿头肉：主消渴，多梦梦见物。

又，蹄肉：主脚膝骨髓中疼痛。

肉：主补中益气力。

又，生肉：主中风口偏不正。以生椒同捣敷之。专看正，即速除之。

谨按：肉：九月后、正月前食之，则补虚羸瘦弱，利五脏，调血脉。自外皆不食，发冷病。

角：主痈疽疮肿，除恶血。若腰脊痛、折伤，多取鹿角并截取尖，错为屑，以白蜜五升淹浸之，微火熬令小变色，曝干，更捣筛令细，以酒服之。令人轻身益力，强骨髓，补阳道，绝伤。

角：烧飞为丹，服之至妙。但于瓷器中或瓦器中，寸截，用泥裹，大火烧之一日，如玉粉。亦可炙令黄，末，细罗，酒服之益人。若欲作胶者，细破寸截，以馞水②浸七日，令软方煮也。

又，妇人梦与鬼交者，鹿角末三指一撮，和清酒服，即出鬼精。

又，女子胞中余血不尽、欲死者，以清酒和鹿角灰服方寸匕，日三夜一，甚效。

又，小儿以煮小豆汁和鹿角灰，安重舌③下，日三度。

骨：温。主安胎，下气，杀鬼精，可用浸酒。凡是鹿白臆④者，不可食。

注

①颡（sǎng）：额部。
②馈水：蒸饭用过的水。
③重舌：中医病名。病发于舌下，可见血脉胀起，
　形如小舌，伴潮热，头项强痛，饮食难下，言语不清，
　口流清涎。
④白臆：此处指鹿的胸前是白色。

食疗本草

读经典 学养生

SHI
LIAO
BEN
CAO

卷
中

黄明胶①

敷肿四边，中心留一孔子，其肿即头自开也。

治咳嗽不差者，黄明胶炙令半焦为末，每服一钱匕。人参末二钱匕，用薄豉汤一盏，葱少许，入铫子②煎一两沸后，倾入盏，遇咳嗽时呷三五口后，依前温暖，却准前咳嗽时吃之也。

又，止吐血，咯血，黄明胶一两，切作小片子，炙令黄；新绵一两，烧作灰细研，每服一钱匕，新米饮调下，不计年岁深远并宜，食后卧时服。

注

①黄明胶：唐代黄明胶与白胶为同一种物品，即指鹿角胶。宋代以后，黄明胶逐渐变成用牛皮熬成的胶。

②铫（diào）子：煎药或烧水用的器具，形状像比较高的壶，口大有盖，旁边有柄，用沙土或金属制成。

犀角

此只是山犀牛，未曾见人得水犀取其角。此两种者，功亦同也。其生角，寒。可烧成灰，治赤痢，研为末，和水服之。

又，主卒中恶①心痛，诸饮食中毒及药毒、热毒，筋骨中风，心风②烦闷，皆差。

又，以水磨取汁，与小儿服，治惊热。鼻上角尤佳。

肉：微温，味甘，无毒。主瘴气[3]、百毒、蛊疰[4]邪鬼，食之入山林，不迷失其路。除客热头痛及五痔、诸血痢。若食过多，令人烦，即取麝香少许，和水服之，即散也。

 注

①卒中恶：中医病证名。症见突然手足冰冷，面色青黑，精神失常，或说胡话，牙关紧闭，或头晕目眩，不省人事等。因起病急促，古人或认为是中了邪恶鬼祟所致，故名中恶。

②心风：即心中风。症见多汗恶风，焦躁善怒，病重时说话不利索，面赤头痛，不能安卧。多因心受风生热引起。

③瘴气：一般指南方山林之间湿热蒸郁致人疾病的邪气。

④蛊疰：亦作蛊注，中医病名。症见四肢浮肿，肌肉消瘦，皮肤干皱，咳嗽，腹水，有传染性。或认为此病类似于现代所称肺结核、结核性腹膜炎。

81

犬

食疗本草
读经典 学养生

SHI
LIAO
BEN
CAO

卷中

牡狗①阴茎：补髓。

犬肉：益阳事，补血脉，厚肠胃，实下焦，填精髓。不可炙食，恐成消渴。但和五味煮，空腹食之。不与蒜同食，必顿损人。若去血则力少，不益人。瘦者多是病，不堪食。

比来去血食之，却不益人也。肥者血亦香美，即何要去血？去血之后，都无效矣。

肉：温。主五脏，补七伤五劳，填骨髓，大补益气力。空腹食之。黄色牡者上，白、黑色者次。女人妊娠勿食。

胆：去肠中脓水。又，上伏日②采胆，以酒调服之。明目，去眼中脓水。

又，白犬胆和通草、桂为丸服，令人隐形。青犬尤妙。

又，主恶疮痂痒，以胆汁敷之止。胆敷恶疮，能破血。有中伤因损者，热酒调半个服，瘀血尽下。

又，犬伤人，杵生杏仁封之差。

犬自死，舌不出者，食之害人。九月勿食犬肉，伤神。

注

①牡狗：牡，雄性的鸟或兽，亦指植物的雄株，与"牝"相对。牡狗即公狗。

②上伏日：指入伏当天。

麢羊①

北人多食。南人食之，免为蛇虫所伤。和五味炒之，投酒中经宿。饮之，治筋骨急强中风。

又，角：主中风筋挛，附骨疼痛，生摩和水涂肿上及恶疮，良。

又，卒热闷，屑作末，研和少蜜服，亦治热毒痢②及血痢。

伤寒热毒下血，末服之即差。又疗疝气。

注

①麢（líng）羊：即羚羊。
②热毒痢：即热毒亢盛的痢疾，又称毒痢。症见痢下脓血，心烦腹痛。可见于重症细菌性痢疾、急性肠道阿米巴痢疾、沙门氏菌属食物中毒等。

虎

肉：食之入山，虎见有畏，辟三十六种精魅①。

又，眼睛：主疟病，辟恶，小儿热、惊悸。

胆：主小儿疳痢，惊神不安，研水服之。

骨：煮汤浴，去骨节风毒。又，主腰膝急疼，煮作汤浴之。或和醋浸亦良。主筋骨风急痛，胫骨尤妙。

又，小儿初生，取骨煎汤浴，其孩子长大无病。

又，和通草煮汁，空腹服半升。覆盖卧少时，

食

食疗本草

读经典 学养生

SHI
LIAO
BEN
CAO

卷中

汗即出。治筋骨节急痛。切忌热食，损齿。小儿齿生未足，不可与食，恐齿不生。

又，正月勿食虎肉。

膏：内下部[2]，治五痔下血。

注

①三十六种精魅：泛指山林间可以致病的各种因素。

②内下部：放进肛门。

兔

肝：主明目，和决明子作丸服之。

又，主丹石人上冲眼暗不见物，可生食之，一如服羊子肝法。

兔头骨并同肉：味酸。

谨按：八月至十月，其肉酒炙吃，与丹石人甚相宜。注：以性冷故也。大都绝人血脉，损房事，令人痿黄。

肉：不宜与姜、橘同食之，令人卒患心痛，不可治也。

又，兔死而眼合者，食之杀人。二月食之伤神。

又，兔与生姜同食，成霍乱①。

注

①霍乱：中医的霍乱分为两类，一是因其能将胃肠中病理性内容物吐泻而出的，叫"湿霍乱"；一是腹胀绞痛、烦躁闷乱、想吐吐不出、欲泻又泻不下的，叫"干霍乱"，或称"绞肠痧"。

食疗本草

读经典 学养生

SHI
LIAO
BEN
CAO

卷中

狸

骨：主痔病。作羹臛食之，不与酒同食。

其头烧作灰，和酒服二钱匕，主痔。

又，食野鸟肉中毒，狸骨灰服之差。

炙骨和麝香、雄黄为丸服，治痔及瘘疮。

粪：烧灰，主鬼疟[1]。

尸疰[2]，腹痛，痔瘘，骨炙之令香，末，酒服二钱，十服后见验。头骨最妙。

治尸疰邪气，烧为灰，酒服二钱，亦主食野鸟肉物中毒肿也。再服之即差。

五月收者粪，极神妙。正月勿食，伤神。

注

[1] 鬼疟：疟疾的一种。除了恶寒发热等疟疾症状外，兼见精神恍惚，喜怒无常，反复发作。

[2] 尸疰：中医病名。即劳瘵，今所谓肺结核。

獐

肉：亦同麇，酿酒。道家名为"白脯"，惟獐鹿是也。余者不入。道家用供养星辰者，盖为不管十二属，不是腥腻也。

又，其中往往得香，栗子大，不能全香。亦治恶病。

其肉：八月止十一月食之，胜羊肉。自十二月止七月食，动气也。

又，若瘦恶者①食，发痼疾②也。

注

①瘦恶者：消瘦得很厉害的人。
②痼疾：经久不愈的陈年顽疾。

豹

肉：补益人。食之令人强筋骨，志性粗疏。食之即觉也，少时消即定。久食之，终令人意气粗豪。唯令筋健，能耐寒暑。正月食之伤神。

脂：可合生发膏，朝涂暮生。

头骨：烧灰淋汁，去白屑。

食读经典
疗学养生
本
草

SHI
LIAO
BEN
CAO

卷中

猪

肉：味苦，微寒。压丹石，疗热闭血脉。虚人动风，不可久食。令人少子精，发宿癖。主疗人肾虚。肉发痰，若患疟疾人切忌食，必再发。

肾：主人肾虚，不可久食。

江猪①：平。肉酸。多食令人体重。今捕人作脯，多皆不识。但食，少有腥气。

又，舌：和五味煮取汁饮，能健脾，补不足之气，令人能食。

大猪头：主补虚，乏气力，去惊痫、五痔，下丹石。

又，肠：主虚渴，小便数，补下焦虚竭。

东行母猪粪一升，宿浸，去滓顿服，治毒黄②热病③。

肚：主暴痢虚弱。

注

①江猪：猪的一种。另外指江豚，一种水生的哺乳动物，此处应当为江豚。

②毒黄：指黄疸之热毒盛者。

③热病：此指发热性外感病。

麋

肉：益气补中，治腰脚。不与雉①肉同食。

谨按：肉多无功用。所食亦微补五脏不足气。

多食令人弱房，发脚气。

骨：除虚劳至良。可煮骨作汁，酿酒饮之。令人肥白，美颜色。

其角：补虚劳，填髓。理角法：可五寸截之，中破，炙令黄香后，末和酒空腹服三钱匕。若卒心痛，一服立差。常服之，令人赤白如花，益阳道②。不知何因，与肉功不同尔。亦可煎作胶，与鹿角胶同功。

茸：甚胜鹿茸，仙方③甚重。

又，丈夫冷气及风、筋骨疼痛，作粉长服。

又，于浆水中研为泥。涂面，令不皱，光华可爱。

又，常俗：人以皮作靴，熏脚气。

①雉：野鸡。
②益阳道：指有补肾壮阳的作用。
③仙方：指道家的求仙方。

驴

肉：主风狂，忧愁不乐，能安心气①。

又，头：燖②去毛，煮汁以渍曲酝酒，去大风。

又，生脂和生椒熟捣，绵裹塞耳中，治积年耳聋。狂癫不能语、不识人者，和酒服三升良。

皮：覆患疟人良。

又，和毛煎，令作胶，治一切风毒骨节痛，呻吟不止者，消和酒服良。

食疗本草

读经典 学养生

SHI
LIAO
BEN
CAO

卷中

又，骨煮作汤，浴渍身，治历节风。

又，煮头汁，令服三二升，治多年消渴，无不差者。

又，脂和乌梅为丸，治多年疟。未发时服三十丸。

又，头中一切风，以毛一斤炒令黄，投一斗酒中，渍三日。空心细细饮，使醉。衣覆卧取汗。明日更依前服。忌陈仓米③、麦面等。

卒心痛，绞结连腰脐者，取驴乳三升，热服之差。

注

①心气：指心脏的功能。心气不宁可表现为精神不安、心悸易惊、心烦失眠等症状。

②燖（xún）：用开水烫后去毛。

③陈仓米：仓库里存放很久的米。

90

狐

肉：温。有小毒。主疮疥，补虚损，及女子阴痒①绝产，小儿（阴）癀②卵③肿，煮炙任食之，良。又主五脏邪气，服之便差。空心服之佳。

肠肚：微寒。患疮疥久不差，作羹臛食之。小儿惊痫及大人见鬼，亦作羹臛食之良。其狐魅④状候：或叉手有礼见人，或于静处独语，或裸形见人，或只揖无度⑤，或多语，或紧合口，叉手坐，礼度过，常尿屎乱放，此之谓也。如马疫⑥亦同，灌鼻中便差。

患蛊毒寒热，宜多服之。

头：烧，辟邪。

注

①阴痒：中医病证名。症见外阴部或阴道中瘙痒，或伴见带下色黄量多。

②阴癀：双侧睾丸肿大。可由疝气或炎症等原因引起。

③卵：睾丸。

④狐魅：旧传人有受到成精的狐狸迷惑者。

⑤只揖无度：不停地作揖。

⑥马疫：马患上传染病。

獭

獭肝：主痎病相染，一门悉患者，以肝一具，火炙，末，以水和方寸匕服之，日再服。

患咳嗽者，烧为灰，酒服之。

肉：性寒，无毒。煮汁主治时疫及牛马疫，皆煮汁停冷灌之。

又，若患寒热毒，风水虚胀，即取水獭一头，剥去皮，和五脏、骨、头、尾等，炙令干。杵末，水下方寸匕，日二服，十日差。

谨按：服之下水胀，但热毒风虚胀[1]，服之即差。若是冷气虚胀食，益虚肿甚也。只治热，不治冷，不可一概尔。

注

①虚胀：中医病名。症见腹部胀满。

猯[1]

肉：平，味酸。主服丹石劳热。患赤白痢[2]多时不差者，可煮肉经宿露中，明日空腹和酱食之一顿，即差。

又，瘦人可和五味煮食，令人长脂肉肥白。曾服丹石，可时时服之。丹石恶发热，服之妙。

骨：主上气咳嗽，炙末。酒和三合服之。日二，其嗽必差。

注

①猯（tuān）：古同"貒"，俗名是指狗獾，一种

哺乳动物。

②赤白痢：中医病名。即痢疾，症见身热腹痛，拉下黏冻脓血，赤白相杂。相当于今所谓急性菌痢。如果血多或单纯下血者，名赤痢或血痢。

野猪

三岁胆中有黄^①，研和水服之，主鬼疰痫病。

又，其肉：主癫痫，补肌肤，令人虚肥。雌者肉美。其冬月在林中食橡子，肉色赤者，补人五脏，不发风虚气^②也。其肉胜家猪也。

又，胆：治恶热毒邪气，内不发病，减药力，与家猪不同。

其膏：炼令精细，以一匙和一盏酒服，日三服令妇人多乳。服十日，可供三、四孩子。

脂：主妇人无乳者，服之即乳下。本来无乳者，服之亦有。

齿作灰服，主蛇毒。

青蹄者，不可食。

注

①黄：即野猪黄，野猪胆囊中的结石。
②发风虚气：引动体内的风气。

食疗本草

读经典 学养生

SHI
LIAO
BEN
CAO

卷中

豺

寒。主痟痢，腹中诸疮，煮汁饮之。或烧灰和酒服之，其灰敷䘌齿疮①。

肉酸不可食，消人脂肉，损人神情。

头骨烧灰，和酒灌解槽牛马，便驯良，即更附人也。

注

①䘌齿疮：龋齿引起的疮肿。

鸡

丹雄鸡：主患白虎①，可铺饭于患处，使鸡食之良。又取热粪封之取热，使伏于患人床下。

其肝入补肾方中，用冠血和天雄②四分，桂心二分，太阳粉四分，丸服之，益阳气。

乌雄鸡：主心痛，除心腹恶气。

又，虚弱人取一只，治如食法。五味汁和肉一器中，封口，重汤③中煮之，使骨肉相去即食之，甚补益。仍须空腹饱食之。肉须烂，生即反损。亦可五味腌，经宿，炙食之，分为两顿。

又，刺在肉中不出者，取尾二七枚，烧作灰，以男子乳汁④和封疮，刺当出。

又，目泪出不止者，以三年冠血敷目睛上，日三度。

乌雌鸡：温，味酸，无毒。主除风寒湿痹，治反胃、安胎及腹痛，蹉折骨疼，乳痈。

月蚀疮⑤绕耳根，以乌雌鸡胆汁敷之，日三。

产后血不止，以鸡子三枚，醋半升，好酒二升，煎取一升，分为四服。如人行三二里⑥，微暖进之。

又，新产妇可取一只，理如食法，和五味炒熟，香，即投二升酒中，封口经宿，取饮之，令人肥白。

又，和乌油麻二升，熬令黄香，末之入酒，酒尽极效。

黄雌鸡：主腹中水癖⑦水肿，以一只理如食法：和赤小豆一升同煮，候豆烂即出食之。其汁，日二夜一，每服四合。补丈夫阳气，治冷气。瘦着床者，渐渐食之良。

又，先患骨热者，不可食之。鸡子动风气，不可多食。

又，光粉诸石为末，和饭与鸡食之，后取鸡食之，甚补益。

又，子醋煮熟，空腹食之，治久赤白痢。

又，人热毒发，可取三颗鸡子白，和蜜一合，服之差。

治大人及小儿发热，可取卵三颗，白蜜一合，相和服之，立差。卵并不得与蒜食，令人短气。

又，胞衣⑧不出，生吞鸡子清一枚，治目赤痛，除心胸伏热，烦满咳逆，动心气，不宜多食。

食

食疗本草

读经典学养生

SHI
LIAO
BEN
CAO

卷中

鸡具五色者，食之致狂。肉和鱼肉汁食之，成心瘕⑨。六指、玄鸡白头家鸡，及鸡死足爪不伸者，食并害人。

鸡子和葱，食之气短。鸡子白共鳖同食损人。鸡子共獭肉同食，成遁尸注⑩，药不能治。

鸡、兔同食成泄痢。小儿五岁已下，未断乳者，勿与鸡肉食。

注

①白虎：中医病名。白虎病者，大都是风寒暑湿之毒，因虚所致，受此风邪，经脉结滞，血气不行，蓄于骨节之间，或在四肢，肉色不变。其疾昼静而夜发，发即彻髓，酸疼乍歇，其病如虎之啮，故名曰白虎。

②天雄：种植附子，最后挖出来的时候，生有侧枝的为附子，独根的为天雄。

③重汤：两重汤水煮东西，类似于今所谓隔水炖。将要煮的东西与水一起装入一个容器，密闭，再放进盛有水的锅中炖煮。

④男子乳汁：指生了男婴的妇女的乳汁。

⑤月蚀疮：中医病名。又名月食疮，症见小儿耳、鼻、口之间生疮。

⑥如人行三二里：此处指服药间隔时间，大致相当于人走二三里路那么久。

⑦水癖：中医病名。水气结聚，停留在两胁之侧，形成"癖"，也称支饮。类似于现代的胸腔积液。

⑧胞衣：即胎盘。

⑨心瘕：心下（胃口）生有瘕块。

⑩遁尸注：中医病名。症见精神异常，沉默不语，常不知哪里难受，却又处处感到不适，"精神杂错，变状多端"，经常复发，停遁不消。

食疗本草

读经典 学养生

SHI
LIAO
BEN
CAO

卷中

鹅

脂：可合面脂[1]。

肉：性冷，不可多食。令人易霍乱。与服丹石人相宜。亦发痼疾。

卵：温。补五脏，亦补中益气。多发痼疾。

注

[1]面脂：擦脸用的护肤油脂，常用某些动物脂肪作为基质。

野鸭、白鸭

野鸭：寒。主补中益气，消食。九月以后即中食[①]，全胜家者。虽寒不动气，消十二种虫，平胃气[②]，调中轻身。

又，身上诸小热疮[③]，多年不可者，但多食之即差。

白鸭肉：补虚，消毒热，利水道，及小儿热惊痫，头生疮肿。

又，和葱豉作汁饮之，去卒烦热。

又，粪：主热毒毒痢。

又，取和鸡子白，封热肿毒上消。

又，黑鸭：滑中[④]，发冷痢，下脚气，不可多食。

子：微寒。少食之，亦发气，令背膊闷。

项中热血：解野葛[⑤]毒，饮之差。

卵：小儿食之，脚软不行，爱倒。盐淹食之，即宜人。

屎：可搨[⑥]蚯蚓咬疮。

注

①中食：中，可以之意。

②平胃气：胃气指胃的生理功能。胃功能失调会出现食欲差、饱闷或胀痛、恶心呕吐、嗳气、呃逆等症状。解除这些胃气不降、胃气上逆的症状，称为平胃气。

③热疮：中医病名。症见口鼻部或其他部位的皮肤出现密集成簇的小水泡，可伴有瘙痒疼痛，一周

食疗本草

读经典 学养生

SHI
LIAO
BEN
CAO

卷中

左右消退。常可复发。

④滑中：脾胃功能低下，可出现滑脱的一系列症状，如泄泻不止、形寒短气等。能引起脾胃出现滑脱症，叫作滑中。

⑤野葛：植物名，有剧毒。

⑥搨（tà）：贴、涂之意。

鹧鸪

能补五脏，益心力①，聪明。此鸟出南方，不可与竹笋同食，令人小腹胀。自死者，不可食。一言此鸟天地之神，每月取一只飨②至尊。所以自死者不可食也。

注

①心力：指心脏的正常功能。益心力，即可以使人精神健旺，思维敏捷，血脉充盛，精力充沛。

②飨（xiǎng）：请人受用之意。

雁

雁膏：可合生发膏。仍治耳聋。

骨灰和泔①洗头，长发。

注

①泔：米泔水。

雀

其肉：十月以后、正月以前食之，续五脏不足气，助阴道①，益精髓，不可停息。

粪：和天雄、干姜为丸，令阴强。

脑：涂冻疮。

卵白：和天雄末、菟丝子末为丸，空心酒下五丸。主男子阴痿②不起，女子带下，便溺不利。除疝瘕③，决痈肿，续五脏气。

注

①阴道：此即阳道，指男子性功能。

②阴痿：男子性功能衰败，阴茎不举的病症。

③疝瘕：中医病名，表现为腹皮有包块隆起，推之可移动，腹痛剧烈牵引腰背。

山鸡、野鸡

山鸡：主五脏气喘、不得息者。食之发五痔。和荞麦面食之，生肥虫。卵：不与葱同食，生寸白虫①。

又，野鸡：久食令人瘦。又九月至十二月食之，稍有补。他月即发五痔及诸疮疥。

不与胡桃同食，即令人发头风②，如在舡③车内，兼发心痛。

亦不与豉同食。自死、足爪不伸，食之杀人。

菌子、木耳同食，发五痔，立下血。

101

①寸白虫：即绦虫的别称。因绦虫包孕虫卵的节片
呈白色，长约一寸，故称寸白虫。

②头风：中医病名。症见头痛经久不愈，反复发作，
痛势较剧，兼证随病因不一而有异同。

③舡（chuán）：同"船"。

鹑①

温。补五脏，益中续气，实筋骨，耐寒暑，消结气。
患痢人可和生姜煮食之。

又云，鹑肉不可共猪肉食之，令人多生疮。

四月以后及八月以前，鹑肉不可食之。

①鹑：即鹌鹑。

鸱①

头：烧灰，主头风目眩，以饮服之。

肉：食之，治癫痫疾。

注

①鸱（chī）：古书上指鹞鹰。

鸲鹆①肉

主五痔，止血。

又，食法：腊日②采之，五味炙之，治老嗽。或作羹食之亦得。或捣为散，白蜜和丸并得。治上件病，取腊月腊日得者良，有效。非腊日得者不堪用。

注

①鸲鹆（qúyù）：鸟名，俗称八哥。
②腊日：旧时腊祭的日子。汉代以冬至后第三个戌日为腊日，后改为阴历腊月初八日。

慈鸦①

主瘦病，咳嗽，骨蒸者，可和五味淹炙食之良。其大鸦不中食，肉涩，只能治病，不宜常食也。

以目睛汁注眼中，则夜见神鬼。又"神通目法"中亦要用此物。又《北帝摄鬼录》中，亦用慈鸦卵。

注

①慈鸦：为鸦科动物寒鸦。

鸳鸯

其肉：主瘘疮，以清酒炙食之。食之则令人美丽。

又，主夫妇不和，作羹臛①，私与食之，即立相怜爱也。

注

①臛（huò）：肉羹。

104

蜜

食

读经典 学养生

食疗本草

SHI
LIAO
BEN
CAO

卷中

　　微温。主心腹邪气，诸惊痫，补五脏不足气。益中止痛，解毒。能除众病，和百药，养脾气，除心烦闷，不能饮食。

　　治心肚痛，血刺腹痛及赤白痢，则生捣地黄汁，和蜜一大匙，服即下。

　　又，长服之，面如花色，仙方中甚贵此物。若觉热，四肢不和，即服蜜浆一碗，甚良。

　　又能止肠澼①，除口疮，明耳目，久服不饥。

　　又，点目中热膜②，家养白蜜③为上，木蜜④次之，崖蜜⑤更次。

　　又，治癫⑥，可取白蜜一斤，生姜三斤捣取汁。先秤铜铛⑦，令知斤两。即下蜜于铛中消之。又秤，知斤两，下姜汁于蜜中，微火煎，令姜汁尽。秤蜜，斤两在即休，药已成矣。患三十年癫者，平旦服枣许大一丸，一日三服，酒饮任下。忌生冷醋滑⑧臭物。功用甚多，世人众委，不能一一具之。

注

①肠澼：痢疾的古称。

②热膜：中医病证名。膜指眼球表面产生的片状薄膜，通常伴有血丝，血丝红赤稠密者属于肺肝风热引起的，名热膜或赤膜。

③家养白蜜：指家养的蜜蜂酿制的白蜜。

④木蜜：指树上采到的蜜。

食

读食疗
经典本
学养草
生

SHI
LIAO
BEN
CAO

卷
中

⑤崖蜜：指山崖间采到的蜜。

⑥癞：即麻风。初起患部麻木不仁，次呈红斑，继则肿溃无脓，久之可蔓延全身皮肤。

⑦铛（chēng）：指古代有耳和足的锅。

⑧醋滑：指味酸、性滑的食物。包括发酵酸败、容易引起腹泻的食物。

牡蛎

火上炙，令沸。去壳食之，甚美。令人细润肌肤，美颜色。

又，药家①比来取左顾②者，若食之，即不拣左右也。可长服之。海族之中，惟此物最贵。北人不识，不能表其味尔。

🈷注

①药家：指经营药材生意的人。

②左顾：牡蛎壳形状不规则，左壳较大，右壳较小。左壳称左顾牡蛎或左牡蛎。

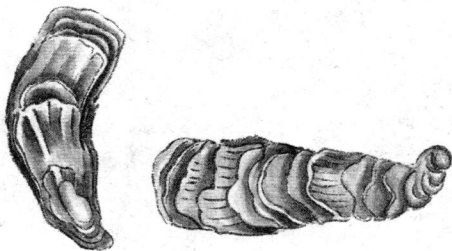

龟甲

食

食疗本草

读经典 学养生

SHI
LIAO
BEN
CAO

卷中

温。味酸。主除温瘴气，风痹，身肿，踒折。又，骨带入山林中，令人不迷路。其食之法，一如鳖法也。其中黑色者，常啖蛇，不中食之。其壳亦不堪用。

其甲：能主女人漏下赤白①、崩中，小儿囟不合，破癥瘕②、痎疟③，疗五痔，阴蚀④，湿痹⑤，女子阴隐疮及骨节中寒热，煮汁浴渍之良。

又，已前都用水中龟，不用啖蛇龟。五月五日取头干末服之，亦令人长远入山不迷。

又方，卜师处钻了者，涂酥炙，细罗，酒下二钱，疗风疾。

注

①漏下赤白：中医病名。妇女患阴道出血，非时而下，称漏下。伤少阴经者，漏下物赤白色。

②癥瘕：病名。腹内结块，坚硬不移，痛有定处者称为癥；聚散不定，痛无定处者称为瘕。

③痎疟：又称痎疟，古时是疟疾的统称，后世渐特指间日疟、老疟等。

④阴蚀：中医病名。症见外阴溃烂，或痛或痒，肿胀坠痛，伴有赤白带下、小便淋漓等。

⑤湿痹：中医病名。是痹证的一种。症见肢体重着，肌肤不仁，肢节疼痛，痛处固定不移。多由湿邪引起。

107

魁蛤①

寒。润五脏，治消渴，开关节。服丹石人食之，使人免有疮肿及热毒所生也。

注

①魁蛤：海蛤。

鳢鱼①

下大小便壅塞气。

又，作鲙②，与脚气风气人食之，效。

又，以大者洗去泥，开肚，以胡椒末半两，切大蒜三两颗，内鱼腹中缝合，并和小豆一升煮之。临熟下萝卜三五颗如指大，切葱一握，煮熟。空腹食之，并豆等强饱，尽食之。至夜即泄气无限，三五日更一顿。下一切恶气。

又，十二月作酱，良也。

注

①鳢（lǐ）鱼：身体圆筒形，青褐色，头扁，性凶猛，捕食其他鱼类，为淡水养殖业的害鱼。肉可食，亦称黑鱼、乌鳢。

②鲙（kuài）：生鱼片。

鲇^①、鳠^②

鲇与鳠：大约相似，主诸补益，无鳞，有毒，勿多食。赤目、赤须者并杀人也。

①鲇：读音 nián。
②鳠：读音 hù。

鲫鱼

食之平胃气，调中，益五脏，和莼菜^①作羹食良。

作鲙食之，断暴下痢。和蒜食之，有少热；和姜、酱食之，有少冷。

又，夏月热痢可食之，多益。冬月则不治也。

骨：烧为灰，敷恶疮上，三、五次差。

又，鲫鱼与鲢其状颇同，味则有殊。鲢是节化。鲫是稷米化之，其鱼肚上尚有米色。宽大者是鲫，背高肚狭小者是鲢，其功不及鲫鱼。

谨按：其子调中，益肝气。凡鱼生子，皆粘在草上及土中。寒冬月水过后，亦不腐坏。每到五月三伏时，雨中便化为鱼。

食鲫鱼不得食沙糖，令人成疳虫^②。丹石热毒发者，取荠苨和鲫鱼作羹，食一两顿即差。

注

①莼菜：又名马蹄菜，湖菜。

②痫虫：古人认为小儿痫积是痫虫导致、与体内寄
　生虫有关。

鳝鱼

　　补五脏，逐十二风邪。患恶气人当作臛，空腹
饱食，便以衣盖卧。少顷当汗出如白胶，汗从腰脚
中出。候汗尽，暖五木汤①浴，须慎风一日。更三五
日一服，并治湿风。

注

①五木汤：由柳、槐、桃、楮、桑五种树枝煎成
　的汤液。

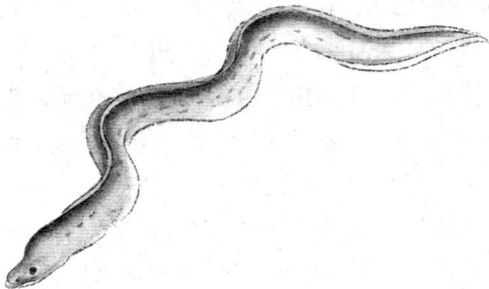

鲤鱼

食

读经典 学养生

食疗本草

SHI
LIAO
BEN
CAO

卷中

胆：主除目中赤及热毒痛，点之良。

肉：白煮食之，疗水肿脚满，下气。腹中有宿瘕①不可食，害人。久服天门冬人，亦不可食。

刺在肉中，中风水肿痛者，烧鲤鱼眼睛作灰，内疮中，汁出即可。

谨按：鱼血主小儿丹毒②，涂之即差。

鱼鳞：烧，烟绝，研。酒下方寸匕，破产妇滞血。

脂：主诸痫，食之良。

肠：主小儿腹中疮。

鲤鱼鲊③：不得和豆藿叶食之，成瘦。

其鱼子，不得合猪肝食之。

又，凡修理，每断去脊上两筋及脊内黑血，此是毒故也。

炙鲤鱼切忌烟，不得令熏着眼，损人眼光。三两日内必见验也。

又，天行病后不可食，再发即死。

又，其在砂石中者，有毒，多在脑髓中，不可食其头。

注

①宿瘕：长时间不愈的腹内结块，此结块聚散无常，痛楚不定。

②丹毒：中医病名。症见患部皮肤焮红热痛，多由体内火热引起。

111

鲟鱼

有毒。主血淋①。可煮汁食之。其味虽美，而发诸药毒。

鲊：世人虽重，尤不益人。服丹石人不可食，令人少气②。发一切疮疥，动风气。不与干笋同食，发瘫痪风③。小儿不与食，结症瘕及嗽。大人久食，令人卒心痛，并使人卒患腰痛。

注

①血淋：中医病名。淋证的一种，特征为小便涩痛有血。

②少气：指疲乏无力的感觉，可有言语无力、呼吸短促微弱的表现。

③瘫痪风：中医病名。症见手足无力，口角流涎，言语不利，皮肤麻木不仁，行动困难。

猬

肉：可食。以五味汁淹、炙食之，良。不得食其骨也。其骨能瘦人，使人缩小也。

谨按：主下焦弱，理胃气。令人能食。

其皮可烧灰，和酒服。及炙令黄，煮汁饮之，主胃逆。细锉，炒令黑，入丸中治肠风①，鼠奶痔②，效。

食疗本草
读经典 学养生
SHI
LIAO
BEN
CAO
卷中

食疗本草

读经典学养生

SHI
LIAO
BEN
CAO

卷
中

其脂：主肠风、痔瘘。可煮五金八石③。与桔梗、麦门冬反恶④。

又有一种，村人谓之豪猪，取其肚烧干，和肚屎用之。捣末细罗。每朝空心温酒调二钱匕。有患水病鼓胀者，服此豪猪肚一个便消差。此猪多食苦参，不理冷胀，只理热风水胀。形状样似猬鼠。

注

①肠风：中医病名。指大便时出血，血在便前，颜色鲜红。病因多为外风或内风袭扰大肠。

②鼠奶痔：属外痔的一种，症见肛门边生痔形如鼠乳。

③五金八石：道家炼丹用语。指烧炼丹药时常用的金属和矿石。为了抵消这些金石的不良药性，常用其他药材来炼制它们。

④反恶：指药性的相反、相恶。两种药物同用可能产生毒性或副作用，称相反；一种药物能减弱另一种药物的药性，称相恶。

鳖

主妇人漏下，赢瘦。中春食之美，夏月有少腥气。

其甲：岳州①、昌江②者为上。赤足不可食，杀人。

注

①岳州：治所在巴陵（今湖南岳阳）。唐代辖境相当于今湖南洞庭湖东、南、北沿岸各县。

②昌江：鄱江北源。在江西省东北部。

蟹

足斑、目赤不可食，杀人。主散诸热。

又，堪治胃气，理经脉，消食。

蟹脚中髓及脑，能续断筋骨。人取蟹脑、髓，微熬之，令内疮中，筋即连续。

又，八月前，每个蟹腹内有稻谷一颗，用输海神。待输芒①后，过八月方食即好。未输时为长未成。经霜更美，未经霜时有毒。

又，盐淹之作蚂②，有气味。和酢食之，利肢节，去五脏中烦闷气。其物虽恶形容，食之甚益人。

爪：能安胎。

注

①输芒：古代传说蟹八月一日取稻芒两枚，向东行进输送给海神。认为八月以前没有输芒的蟹还没有长成熟。

②蚂：此指蟹蝑，即蟹酱。

乌贼鱼

食之少有益髓。

骨：主小儿、大人下痢，炙令黄，去皮细研成粉，粥中调服之食。

其骨能销目中一切浮翳①。细研和蜜点之妙。

又，骨末治眼中热泪②。

又，点马眼热泪甚良。久食之，主绝嗣无子，益精。其鱼腹中有墨一片，堪用书字。

注

①浮翳：翳指生于眼内外能遮蔽视线的增生物，浮翳指一种表浅的翳膜。

②热泪：中医病名。症见泪下有热感，可伴有目赤肿痛、羞明畏光等，常因火热上炎或有异物入眼所致。

鳗鲡鱼

杀诸虫毒，干烧炙之令香。末，空腹食之。三五度即差。长服尤良。

又，熏下部痔，虫尽死。患诸疮瘘及疬疡风①，长食之甚验。

腰肾间湿风痹，常如水洗者，可取五味、米煮，空腹食之，甚补益。湿脚气人服之良。

又，诸草石药毒，食之，诸毒不能为害。

又，五色者，其功最胜也。

又，疗妇人带下百病，一切风瘑如虫行。其江海中难得五色者，出歙州②溪泽潭中，头似蝮蛇，背有五色文者是也。

又，烧之熏毡中，断蛀虫。置其骨于箱衣中，断白鱼③、诸虫咬衣服。

又，烧之熏舍屋，免竹木生蛀虫④。

注

①瘑疡风：中医病名，为一种皮肤病，表现为颈、胸、腋下浅在斑点样破损，不痛、不痒。相当于花斑癣。

②歙（shè）州：在今安徽东南。

③白鱼：又称蠹鱼，常栖于衣服和书籍中，啮食其上的胶质物。

④蛀虫（zhòng）：蛀虫咬蚀损坏。虫，虫咬或被虫咬坏之义。

鼍

疗惊恐及小腹气疼①。

注

①气疼：指因气滞不通引起的疼痛，多发于躯干部。饮食劳倦、情志内伤、痰湿阻滞等均能引发。

竜

微温。主五脏邪气，杀百虫蛊毒①，消百药毒，续人筋。

膏：摩风及恶疮。

又，膏涂铁，摩之便明。《淮南》方术中有用处。

注

①蛊毒：指由虫兽怪毒引起的疾病。中毒者有心胸剧痛、吐血下血、寒热闷乱等危重症状。

鲛鱼①

平。补五藏。作鲙食之，亚于鲫鱼。作鲊②鳑③食之并同。

又，如有大患喉闭，取胆汁和白矾灰，丸之如豆颗，绵裹内喉中。良久吐恶涎沫，即喉咙开。腊月取之。

注

①鲛（jiāo）鱼：鲨鱼。
②鲊（zhǎ）：用腌、糟等方法加工的鱼类食品。
③鳑（sù）：干鱼。

食

读经典 学养生

食疗本草

SHI
LIAO
BEN
CAO

卷中

食疗本草

读经典 学养生

SHI
LIAO
BEN
CAO

卷
中

白鱼

主肝家不足气，不堪多食，泥人心。虽不发病，终养蝨所食。

和豉作羹，一两顿而已。新鲜者好食。若经宿者不堪食。久食令人腹冷生诸疾。或淹、或糟藏，犹可食。

又可炙了，于葱、醋中重煮一、两沸食之。调五藏，助脾气，能消食；理十二经络，舒展不相及气[1]。

时人好作饼，炙食之。犹少动气，久亦不损人。

注

①舒展不相及气：使经络气机周流顺畅。

鳜鱼

平。补劳，益脾胃。稍有毒。

注

①鳜（guì）鱼：又称桂鱼、鳌花鱼。

青鱼

主脚气烦闷。又，和韭白煮食之，治脚气脚弱，烦闷、、益心力也。

又，头中有枕①，取之蒸，令气通，曝干，状如琥珀。此物疗卒心痛，平水气②。以水研服之良。

又，胆、眼睛：益人眼。取汁注目中，主目暗。亦涂热疮，良。

①枕：指鱼头里面的枕骨。
②水气：指由水湿引起的疾病。

石首鱼

作干鲞①，消宿食。主中恶②，不堪鲜食。

①鲞（xiǎng）：剖开晾干的鱼。
②中恶：中医病名。因感受秽浊不正之气，导致突然厥逆，不省人事。又称"客忤"。

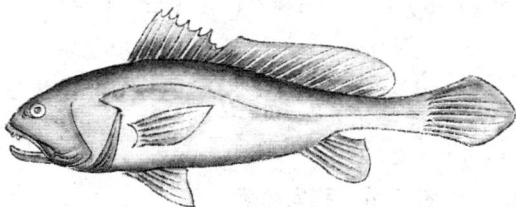

食

食 读经典
疗 学养生
本
草

SHI
LIAO
BEN
CAO

卷中

119

嘉鱼

微温。常于崖石下孔中吃乳石沫，甚补益。微有毒。其味甚珍美也。

鲈鱼

平。主安胎，补中。作鲙尤佳。补五藏，益筋骨，和肠胃，治水气。多食宜人。作鲊犹良。

又，暴干甚香美。虽有小毒，不至发病。

鲎①

平。微毒。治痔，杀虫。多食发嗽并疮癣。

壳：入香，发众香气。

尾：烧焦，治肠风泻血，并崩中带下及产后痢。

脂：烧，集鼠。

注

①鲎（hòu）：亦称马蹄蟹，为海生节肢动物。

时鱼

平。补虚劳，稍发疳痼。

黄颡鱼

一名鮠鮧。醒酒。亦无鳞，不益人也。

比目鱼

平。补虚，益气力。多食稍动气。

鲚鱼

发疥，不可多食。

鯸鮧鱼[①]

有毒，不可食之。[②]其肝毒杀人。缘腹中无胆，头中无鳃，故知害人。若中此毒及鲈鱼毒者，便剉芦根煮汁饮，解之。

又，此鱼行水之次，或自触着物，即自怒气胀，浮于水上，为鸦鹞所食。

注

①鯸鮧（hóu yí）鱼：河豚的古名。
②有毒，不可食之：河豚体内含有河豚毒素或河豚酸。现代对河豚的认识，不同种类的河豚及其不同的组织，毒素含量和毒性强弱有差异。肝、生殖腺的毒素最多，肠、皮次之，肉的毒性很小。煮食

食

食疗本草

读经典 学养生

SHI
LIAO
BEN
CAO

卷中

食疗本草

读经典学养生

SHI
LIAO
BEN
CAO

卷中

河豚，须去净内脏、生殖腺、目、皮，洗净血液，并煮较长时间，以防中毒。

鲸鱼

平。补五脏，益筋骨，和脾胃。多食宜人。作鲊尤佳。曝干甚香美。不毒，亦不发病。

黄鱼

平。有毒。发诸气病，不可多食。亦发疮疥，动风。不宜和荞麦同食，令人失音也。

鲂鱼

调胃气，利五藏。和芥子酱食之，助肺气，去胃家①风。

消谷不化者，作脍食，助脾气，令人能食。

患疳痢②者，不得食。作羹臛食，宜人。其功与鲫鱼同。

注

①胃家：患胃肠病的人。

②疳痢：中医病名。指疳积合并痢疾。疳积表现为形体枯瘦，面黄，腹大，精神萎靡，见于现代营养不良、寄生虫病、慢性消化不良、结核病等。

合并痢疾后可有腹痛、黏液脓血便等。

牡鼠

主小儿痫疾、腹大贪食者：可以黄泥裹烧之。细拣去骨，取肉和五味汁作羹与食之。勿令食着骨，甚瘦人。

又，取腊月新死者一枚，油一大升，煎之使烂，绞去滓，重煎成膏。涂冻疮及折破疮①。

注

①折破疮：指折伤破损等外伤造成的伤口。

蚌

大寒。主大热，解酒毒，止渴，去眼赤。动冷热气。

车螯

（车螯）、蝤蛑类，并不可多食之。

蚶

温。主心腹冷气，腰脊冷风；利五藏，健胃，令人能食。每食了，以饭压之。不尔令人口干。

食疗本草

读经典 学养生

SHI
LIAO
BEN
CAO

卷
中

又云，温中，消食，起阳，味最重。出海中，壳如瓦屋。

又云，蚶：主心腹腰肾冷风，可火上暖之，令沸，空腹食十数个，以饮压之，大妙。

又云，无毒；益血色①。

壳：烧，以米醋三度淬后埋，令坏，醋膏丸。治一切血气，冷气、癥癖②。

注

①血色：此即气色，面部的色泽，反映体内气血盈亏。气血充盛调和，则面色红润。

②癥癖：中医病名。癥指腹中结块，痛有定处；癖指痞块生于胁肋，时痛时止。

蛏

味甘，温，无毒。补虚，主冷利①。煮食之，主妇人产后虚损。生海泥中，长二三寸，大如指，两头开。

主胸中邪热、烦闷气。与服丹石人相宜。天行病后不可食，切忌之。

又云，蛏：寒。主胸中烦闷邪气，止渴。须在饭食后，食之佳。

注

①冷利：指寒性的泄泻。

124

淡菜

温。补五藏，理腰脚气，益阳事。能消食，除腹中冷气，消疣癖气。亦可烧，令汁沸出食之。多食令头闷、目暗，可微利即止。北人多不识，虽形状不典①，而甚益人。

又云：温，无毒。补虚劳损，产后血结，腹内冷痛。治癥瘕，腰痛，润毛发，崩中带下。烧一顿令饱，大效。又名"壳菜"，常时频烧食即苦，不宜人。与少米先煮熟后，除肉内两边锁及毛②了，再入萝卜，或紫苏、或冬瓜皮同煮，即更妙。

注

①形状不典：外形样貌不太好看。
②锁及毛：锁，指贝壳内的韧带。毛，指外缘的分枝状触手。

虾

平。无须及煮色白者，不可食。

谨按：小者生水田及沟渠中，有小毒。小儿患赤白游肿①，捣碎敷之。

动风发疮疥。（勿作鲊食之），鲊内者甚有毒尔。

注

①赤白游肿：中医病名。因风热毒邪侵犯，引起局

食疗本草

读经典学养生

SHI
LIAO
BEN
CAO

卷中

部皮肤肿胀，颜色或红或白，所发部位游走不定。

蚺蛇

膏：主皮肤间毒气。

肉：主温疫气。可作脍食之。如无此疾及四月勿食之。

胆：主蟨疮瘘[1]，目肿痛，疳蟨。

小儿疳痢，以胆灌鼻中及下部。

除疳疮[2]，小儿脑热[3]，水渍注鼻中。齿根宣露，和麝香末傅之。其胆难识，多将诸胆代之。可细切于水中，走者真也。又，猪及大虫胆亦走，迟于此胆。

注

① 疮瘘：疮即下部生虫，虫蚀其肛，患者常伴有嗜睡昏沉，不知痛痒，或下痢。疮溃烂穿透皮肤，即成瘘。

② 疳疮：指小儿疳生于面鼻，不痛不痒，常有汁出，汁所流到处，随即成疮。

③ 脑热：中医病名。指小儿肺藏壅滞，内有积热，上攻于脑，引起脑热。此症鼻中干燥无涕，所以可用水浸渍蚺蛇胆汁注入鼻中。

蛇蜕皮

主去邪，明目。治小儿一百二十种惊痫，寒热，肠痔[1]，蛊毒。诸蟨恶疮，安胎。熬用之。

①肠痔：中医病名。症见肛门边生肿核，疼痛，可
　引起恶寒发热或肿核出血，相当于现代所称肛门
　周围脓肿。

蝮蛇

　　主诸蜃。

　　肉：疗癞，诸瘘。下结气①，除蛊毒。如无此疾
者，即不假食也。

①结气：指因肝气郁结、脾失健运等引起腹中气机
　结滞，出现腹胀，胸胁胀痛等，嗳气或排气后疼
　痛减轻。

食疗本草
读经典 学养生

SHI
LIAO
BEN
CAO

卷
中

田螺

大寒。汁饮疗热，醒酒，压丹石①。不可常食。

注

①压丹石：能抑制丹石药的毒性。

海月

平。主消痰，辟邪鬼毒。

以生椒酱调和食之良。能消诸食，使人易饥。

又，其物是水沫化之，煮时犹是水。入腹中之后，便令人不小便。故知益人也。

又，有食之人，亦不见所损。此看之，将是有益耳。亦名"以下鱼"。

卷下

食

食疗本草

读经典学养生

SHI
LIAO
BEN
CAO

卷下

胡麻

润五藏，主火灼。山田种，为四棱。土地有异，功力同。休粮①人重之。填骨髓，补虚气。

（青蘘②）：生杵汁，沐头发良。牛伤热亦灌之，立愈。

（胡麻油）：主喑痖③，涂之生毛发。

注

①休粮：古时有方士讲究休粮的养生修仙方法，也称辟谷，即通过服药、服气等方法达到不进食米谷主食的境界。

②青蘘：芝麻的叶。

③喑痖：指不能发出声音。

129

白油麻

大寒。无毒。治虚劳，滑肠胃，行风气，通血脉，去头浮风，润肌。食后生啖一合，终身不辍①。与乳母食，其孩子永不病生。若客热，可作饮汁服之。停久者，发霍乱。

又，生嚼敷小儿头上诸疮良。久食抽人肌肉。生则寒，炒则热。

又，叶捣和浆水，绞去滓，沐发，去风润发。

其油：冷，常食所用也。无毒，发冷疾，滑骨髓，发藏腑渴，困脾藏，杀五黄②，下三焦热毒气，通大小肠，治蛔心痛③，傅一切疮疥癣，杀一切虫。取油一合，鸡子两颗，芒硝一两，搅服之，少时即泻，治热毒甚良。治饮食物，须逐日熬熟用，经宿即动气。有牙齿并脾胃疾人，切不可吃。陈者煎膏，生肌长肉，止痛，消痈肿，补皮裂。

注

① 不辍：指不觉劳累。
② 五黄：此处泛指各种黄疸。
③ 蛔心痛：中医病名。指因腹中蛔虫扰动引起的上腹部疼痛，时发时止。痛时发作剧烈，可见患者面色苍白、四肢厥冷，又称蛔厥。见于今所称胆管蛔虫症、蛔虫性肠梗阻等。

麻蕡

微寒。治大小便不通，发落，破血，不饥，能寒。取汁煮粥，去五藏风，润肺，治关节不通，发落，通血脉，治气。

青叶：甚长发。研麻子汁，沐发即生长。

（消渴）：麻子一升捣，水三升，煮三四沸，去滓冷服半升，日三，五日即愈。

麻子一升，白羊脂七两，蜡五两，白蜜一合，和杵，蒸食之，不饥。

《洞神经》又取大麻，日中服子末三升。东行茱萸根剉八升，渍之。平旦服之二升，至夜虫下。

要见鬼者，取生麻子，菖蒲，鬼臼等分，杵为丸，弹子大，每朝向日服一丸。服满百日即见鬼也。

饧糖[①]

饧糖：补虚，止渴，健脾胃气，去留血，补中。白者，以蔓菁汁煮，顿服之。

主吐血，健脾。凝强者[②]为良。主打损瘀血，熬令焦，和酒服之，能下恶血。

又，伤寒大毒嗽[③]，于蔓菁、薤汁中煮一沸，顿服之。

注

①饧（xíng）糖：麦芽糖，又名饴糖。

②凝强者：指非常黏稠的饧糖。

③大毒嗽：指咳嗽的症状严重。

大豆

平。主霍乱吐逆。

微寒。主中风脚弱，产后诸疾。若和甘草煮汤饮之，去一切热毒气。

善治风毒脚气①，煮食之，主心痛，筋挛，膝痛，胀满。杀乌头、附子毒。

大豆黄屑：忌猪肉。小儿不得与炒豆食之。若食了，忽食猪肉，必壅气致死，十有八九。十岁以上者不畏也。

卷：蘖②长五分者，破妇人恶血，良。

大豆：寒。和饭捣涂一切毒肿。疗男女阴肿，以绵裹内之。杀诸药毒。

又，生捣和饮，疗一切毒，服、涂之。

谨按：煮饮服之，去一切毒气，除胃中热痹③，伤中④，淋露⑤，下淋血⑥，散五藏结积内寒。和桑柴灰汁煮服，下水鼓腹胀。

其豆黄⑦：主湿痹，膝痛，五藏不足气，胃气结积，益气润肌肤。末之，收成炼猪膏为丸，服之能肥健人。

又，卒失音，生大豆一升，青竹算子⑧四十九枚，长四寸，阔一分，和水煮熟，日夜二服，差。

又，每食后，净磨拭，吞鸡子大^⑨，令人长生。初服时似身重，一年以后，便觉身轻。又益阳道。

注

①风毒脚气：即脚气，凡因外感湿邪风毒、过食肥甘等，积湿生热，流注于脚，致足胫麻木酸痛，或足胫肿大、软弱麻木。其风毒偏盛者，为风毒脚气。

②蘖（niè）：新长出的嫩芽或嫩枝。

③胃中热痹：中医病名。指邪热积于胃中，引起消谷善饥、多饮、小便频多或目黄等热中证。又称胃痹热中。

④伤中：指中焦伤损。

⑤淋露：指各种淋证和恶露不行。

⑥下淋血：消除小便淋血。

⑦豆黄：大豆发芽干燥而成，又称大豆黄卷。

⑧算子：计算用的筹码。

⑨净磨拭，吞鸡子大：取大豆摩擦揉搓干净后整颗吞服，一次量约鸡蛋一般大小。

薏苡仁

性平。去干湿脚气，大验。

赤小豆

和鲤鱼烂煮食之，甚治脚气及大腹水肿。别有诸治，具在鱼条中。散气，去关节烦热。令人心孔开，止小便数。绿、赤者并可食。

止痢。暴痢后，气满不能食。煮一顿服之即愈。

（毒肿）：末赤小豆和鸡子白薄[1]之，立差。

（风搔隐轸）：煮赤小豆，取汁停冷洗之，不过三、四。

注

[1] 薄：指将前述赤小豆末与蛋清混合物涂抹在患处。

青小豆

寒。疗热中，消渴，止痢，下胀满。

酒

味苦。主百邪毒，行百药。当酒卧，以扇扇，或中恶风。久饮伤神损寿。

谨按：中恶疰忤，热暖姜酒一碗，服即止。

又，通脉，养脾气，扶肝。陶隐居云："大寒凝海，惟酒不冰。"量其热性故也。久服之，浓肠胃，化筋。初服之时，甚动气痢[1]。与百药相宜。祇服丹砂人饮之，即头痛吐热。

又，服丹石人胸背急闷热者，可以大豆一升，熬令汗出，簸去灰尘，投二升酒中。久时顿服之，少顷即汗出差。朝朝服之，甚去一切风。妇人产后诸风，亦可服之。

又，熬鸡屎如豆淋酒法作，名曰紫酒。卒不语、口偏者，服之甚效。

昔有人常服春酒，令人肥白矣。

紫酒：治角弓风[2]。

姜酒：主偏风中恶。

桑椹酒：补五藏，明耳目。

葱豉酒：解烦热，补虚劳。

蜜酒：疗风疹。

地黄，牛膝，虎骨，仙灵脾，通草，大豆，牛蒡，枸杞等，皆可和酿作酒，在别方。

蒲桃子酿酒，益气调中，耐饥强志，取藤汁酿酒亦佳。

狗肉汁酿酒，大补。

①气痢：痢疾的一种。因气虚或气滞而下痢。

读经典 学养生

食疗 本草

SHI
LIAO
BEN
CAO

卷下

②角弓风：即角弓反张。症见项背强直，身体后仰，弯曲如弓。多见于高热抽筋、破伤风病中。

粟米①

陈者止痢，甚压丹石热。颗粒小者是。今人间多不识耳。其粱米粒粗大，随色别之。南方多畲田②种之。极易舂，粒细，香美，少虚怯。祇为灰中种之，又不锄治故也。得北田种之，若不锄之，即草翳死。若锄之，即难舂。都由土地使然耳。但取好地，肥瘦得所由，熟犁。又细锄，即得滑实。

注

①粟米：也称小米、稞子、黏米。
②畲（shē）田：此指采用刀耕火种方法耕种的田地。

秫米①

其性平。能杀疮疥毒热。拥五藏气②，动风，不可常食。北人往往有种者，代米作酒耳。

又，生捣和鸡子白，傅毒肿良。

根煮作汤，洗风③。

又，米一石，曲三升，和地黄一斤，茵陈蒿一斤，炙令黄，一依酿酒法。服之治筋骨挛急。

注

①秫米：现今的黏高粱，多用于酿酒。
②拥五藏气：使五藏气机壅滞。
③洗风：外洗可用于祛风。

矿麦

主轻身，补中。不动疾。

粳米

平。主益气，止烦、泄。其赤则粒大而香，不禁水停①。其黄绿即实中。

又，水渍有味，益人。都大新熟者，动气。经再年者，亦发病。江南贮仓人皆多收火稻②。其火稻宜人，温中益气，补下元。烧之去芒。春春米食之，即不发病耳。

仓粳米：炊作干饭食之，止痢。又，补中益气，坚筋骨，通血脉，起阳道。

北人炊之于瓮中，水浸令酸，食之暖五藏六腑之气。

久陈者，蒸作饭，和醋封毒肿，立差。又，研服之，去卒心痛。

白粳米汁：主心痛，止渴，断热毒痢。

若常食干饭，令人热中，唇口干。不可和苍耳

137

食之，令人卒心痛，即急烧仓米灰，和蜜浆服之，不尔即死。不可与马肉同食之，发痼疾。

淮泗之间米多。京都、襄州③土粳米亦香、坚实。

又，诸处虽多，但充饥而已。

性寒④。拥诸经络气，使人四肢不收，昏昏饶睡。发风动气，不可多食。

注

①不禁水停：不能防止水液停积中焦。

②火稻：烧山地为畲田，种旱稻者，即火稻。

③京都：在今陕西西安。襄州：在今湖北襄樊一带。

④性寒：此条为张鼎所补，故与前文看法不一。

青粱米

以纯苦酒一斗渍之，三日出，百蒸百暴，好裹藏之。远行一餐，十日不饥。重餐，四百九十日不饥。

又方，以米一斗，赤石脂三斤，合以水渍之，令足相淹。置于暖处二三日。上青白衣①，捣为丸，如李大。日服三丸，不饥。

谨按：《灵宝五符经》中，白鲜米九蒸九暴，作辟谷粮。此文用青粱米，未见有别出处。其米②微寒，常作饭食之。涩于黄③，如白米④，体性相似。

注

①青白衣：指食物发酵后出现的一层青白色的菌

丝体。

②其米：此指青粱米。粱米按颜色不同，可分为青粱米、黄粱米、白粱米等不同品种，皆能补养脾胃。

③黄：此指黄粱米。

④白米：此指白粱米。

食

食疗本草

读经典学养生

SHI
LIAO
BEN
CAO

卷下

白粱米

患胃虚并呕吐食及水者，用米汁二合，生姜汁一合，和服之。

性微寒。除胸膈中客热，移易五藏气①，续筋骨。此北人长食者是，亦堪作粉。

注

①移易五藏气：文中指能调节五脏功能。

黍米

性寒。患鳖瘕①者，以新熟赤黍米，淘取泔汁，生服一升，不过三两度愈。

谨按：性寒，有少毒。不堪久服，昏五藏，令人好睡。仙家重此。作酒最胜余米。

又，烧为灰，和油涂杖疮，不作瘢②，止痛。

不得与小儿食之，令儿不能行。若与小猫、犬食之，其脚便蹶曲，行不正。缓人筋骨，绝血脉。

合葵菜食之，成痼疾。于黍米中藏干脯③通。《食

139

禁》云：牛肉不得和黍米、白酒食之，必生寸白虫。

黍之茎穗：人家用作提拂④，以将扫地。食苦瓠毒，煮汁饮之即止。

又，破提扫煮取汁，浴之去浮肿。

又，和小豆煮汁，服之下小便。

注

①鳖瘕：中医病名。症见腹中有瘕块形如鳖，常因素体脾胃虚弱，遇冷肉食后不能正常消化。
②瘙：足病。
③干脯：肉干。
④提拂：指扫帚。

稷

益气，治诸热，补不足。山东多食。

服丹石人发热，食之热消也。发三十六种冷病气①。八谷之中，最为下苗。黍乃作酒，此乃作饭，用之殊途。

不与瓠子同食，令冷病发，发即黍酿汁，饮之即差。

注

①冷病气：指寒性疾病。三十六种冷病气，泛指各种寒性病证。

小麦

平。养肝气，煮饮服之良。服之止渴。

又云：面有热毒者，为多是陈黜^①之色。

又，为磨中石末在内，所以有毒，但杵食之即良。

又宜作粉食之，补中益气，和五藏，调经络，续气脉。

又，炒粉一合，和服断下痢。又，性主伤折，和醋蒸之，裹所伤处便定。重者，再蒸裹之，甚良。

注

①黜：黄黑色。

大麦

久食之,头发不白。和针沙、没石子[1]等染发黑色。

暴食之,亦稍似令脚弱,为下气及腰肾间气故也。久服即好,甚宜人。熟即益人,带生即冷,损人。

注

[1]针沙、没石子:针沙为磨制钢针时产生的细粉屑,是古时用来染黑色的一种原料。没石子是一种没石子蜂的幼虫,寄生在没石子树的幼枝上,富含没石子鞣质及没石子酸。没石子与针沙反应后生成黑色的鞣酸铁。古时染发亦常用此法。

曲

味甘,大暖。疗藏腑中风气,调中下气,开胃消宿食。主霍乱,心膈气,痰逆。除烦,破癥结及补虚,去冷气,除肠胃中塞、不下食。令人有颜色。六月作者良,陈久者入药。用之当炒令香。

六畜食米胀欲死者,煮曲汁灌之,立消。落胎,并下鬼胎[1]。

又,神曲[2],使[3],无毒。能化水谷,宿食,癥气。健脾暖胃。

注

[1]鬼胎:指妇女的一种假孕现象,腹如怀孕而大,

但终年至二三年不生产，实为腹中瘀血积聚，同时面黄肌瘦，精神状态虚弱。

②神曲：为辣蓼、青蒿、杏仁等药加入面粉或麸皮混合后，经发酵而形成的成曲剂。是常用中药。

③使：作为使药。在中医处方中，"主病之谓君，佐君之谓臣，应臣之谓使"（《素问》）。即在组方中，其主要作用或针对主证的为君药，协助君药或加强君药功效的为臣药，协助治疗兼证或抑制主要药物毒烈之性的为佐药，引导各药到达病变部位或调和诸药的为使药。

荞麦

寒。难消，动热风。不宜多食。

虽动诸病，犹压丹石。能炼①五藏滓秽，续精神。其叶可煮作菜食，甚利耳目，下气。其茎为灰，洗六畜疮疥及马扫蹄②至神。

荞麦味甘平，寒，无毒。实肠胃，益气力，久食动风，令人头眩。和猪肉食之，患热风，脱人眉须。虽动诸病，犹挫丹石。能炼五藏滓秽，续精神。作饭与丹石人食之，良。其饭法：可蒸使气馏，于烈日中暴，令口开。使舂取人作饭。叶作茹③食之，下气，利耳目。多食即微泄。烧其穰④作灰，淋洗六畜疮，并驴马躁蹄。

注

①炼：清除。

②扫蹄：与下文的躁蹄，均指蹄部的疮疡。

③茹：菜食。

④穰：茎秆。

藊豆①

微寒。主呕逆，久食头不白。患冷气人勿食。

疗霍乱吐痢不止，末和醋服之，下气。

其叶治瘕，和醋煮。理转筋，叶汁醋服效。

又，吐痢后转筋，生捣叶一把，以少酢浸，取汁服之，立差。

其豆如绿豆，饼食亦可。

注

①藊豆：即扁豆。白色种子、种皮和花可以入药。

豉

能治久盗汗患者，以二升微炒令香，清酒三升渍。满三日取汁，冷暖任人服之，不差，更作三两剂即止。

陕府豉汁甚胜于常豉。以大豆为黄蒸①，每一斗加盐四升，椒四两，春三日，夏二日，冬五日即成。半熟，加生姜五两，既洁且精，胜埋于马粪中。黄蒸，以好豉心代之。

144

①黄蒸：指用大豆作为原料，加水浸渍，使之发酵，上锅蒸，放冷后覆盖，制成有黄色菌类的曲。

绿豆

平。诸食法，作饼炙食之佳。

谨按：补益，和五藏，安精神，行十二经脉。此最为良。今人食，皆挞去皮，即有少拥气①。若愈病，须和皮，故不可去。

又，研汁煮饮服之，治消渴。

又，去浮风，益气力，润皮肉。可长食之。

注

①拥气：使气机壅滞。

145

白豆①

平，无毒。补五藏，益中，助十二经脉，调中，暖肠胃。

叶：利五藏，下气。嫩者可作菜食。生食之亦妙，可常食。

注

①白豆：也称为眉豆，是豆科植物菜豆的种子，球形或扁圆，比黄豆略大，也有状如腰果的，又名饭豇豆、米豆、饭豆、甘豆、白豆等。分布于我国河北、江苏、四川、云南等省。

醋（酢酒）

多食损人胃。消诸毒气，煞邪毒。能治妇人产后血气运①：取美清醋，热煎，稍稍含之即愈。

又，人口有疮，以黄蘗②皮醋渍，含之即愈。

又，牛马疫病，和灌之。服诸药，不可多食。不可与蛤肉同食，相反。

又，江外③人多为米醋④，北人多为糟醋⑤。发诸药，不可同食。酢研青木香服之，止卒心痛、血气等。

又，大黄涂肿，米醋飞丹⑥用之。

治疬癣，醋煎大黄，生者甚效。

用米醋佳，小麦醋不及。糟多妨忌。大麦醋，微寒。

余如小麦也。

气滞风壅，手臂、脚膝痛：炒醋糟裹之，三两易，差。人食多，损腰肌藏。

注

①血气运：中医病名。也叫血运、血晕。多发于妇女产后，症见心烦闷，头晕眼花，恶心呕吐。为产后危重症之一。因产后出血过多，血气极虚，血随气上逆，上掩于心所致。

②黄蘗：即黄柏。

③江外：指江南。

④米醋：指南方用米和水在高温季节酿成的醋，一般不用曲类和酵母。

⑤糟醋：指用酒糟、水和粟米饭等酿成的醋。

⑥飞丹：飞为一种药物炮制方法，将药物经研磨、捣杵、过细筛等法制成极细的粉末。将飞过的细末制成圆形小颗粒的方法称为飞丹。

糯米

寒。使人多睡。发风，动气，不可多食。

又，霍乱后吐逆不止，清水研一碗，饮之即止。

酱

主火毒，杀百药。发小儿无辜①。

小麦酱：不如豆。

又，榆仁酱亦辛美②，杀诸虫，利大小便，心腹恶气。不宜多食。

又，芜荑酱，功力强于榆仁酱。多食落发。

獐、麂、兔、及鳢鱼酱，皆不可多食。为陈久故也。

注

①无辜：中医病名。指小儿面色萎黄，头发干枯，经常发烧，长年不愈，最终可致死亡。

②辛美：辛香美味。

葵（冬葵）

冷。主疳疮生身面上、汁黄者，可取根作灰，和猪脂涂之。

其性冷，若热食之，亦令人热闷。甚动风气。久服丹石人时吃一顿，佳也。

冬月，葵菹汁①。服丹石人发动，舌干咳嗽，每食后饮一盏，便卧少时。

其子，患疮者吞一粒，便作头②。

主患肿未得头破者，三日后，取葵子二百粒，吞之，当日疮头开。

女人产时，可煮，顿服之佳。若生时困闷，以子一合，水二升，煮取半升，去滓顿服之，少时便产。

又，凡有难产，若生未得者，取一合捣破，以水二升，煮取一升以下，只可半升，去滓顿服之，

148

食 读经典

食疗本草 学养生

SHI
LIAO
BEN
CAO

卷下

则小便与儿便出。切须在意,勿上厕。昔有人如此,立扑儿入厕中。

又,(葵苗与叶)细剉,以水煎服一盏食之,能滑小肠。

女人产时,煮一顿食,令儿易生。

(根):天行病后,食一顿,便失目③。

吞钱不出,(根)煮汁,冷饮之,即出。

无蒜勿食。四季月④食生葵,令饮食不消化,发宿疾。

又,霜葵生食,动五种留饮⑤。黄葵尤忌。

注

①菹汁:菹,腌菜。菹汁,指用冬葵做的腌菜汁。

②作头:指疮头钻出。

③失目:失明。

④四季月:四时的季月,即农历的三月、六月、九月、十二月。

⑤留饮:饮邪日久不化,留于某处而不移动或消去,故名,属痰饮病的一种。饮可留积于不同部位,引发不同的症状。

苋

补气,除热。其子明目。九月霜后采之。

叶:食亦动气,令人烦闷,冷中损腹。

149

食疗本草

读经典 学养生

SHI
LIAO
BEN
CAO

卷下

不可与鳖肉同食，生鳖瘕[1]。又取鳖甲如豆片大者，以苋菜封裹之，置于土坑内，上以土盖之，一宿尽变成鳖儿也。

又，五月五日采苋菜和马齿苋为末，等分。调与妊娠，服之易产。

注

[1]鳖瘕：指腹中结块形如鳖，多因脾胃虚弱不能消化冷物。与鳖瘕的区别在于这种结块推之不能移动。

胡荽①

平。利五藏，补筋脉。主消谷能食。若食多，则令人多忘。

又，食着诸毒肉，吐、下血不止，顿瘃黄者：取净胡荽子一升，煮使腹破，取汁停冷，服半升，一日一夜二服即止。

又，狐臭蟨齿病人不可食，疾更加。久冷人食之，脚弱。患气，弥不得食。

又，不得与斜蒿②同食。食之令人汗臭，难差。

不得久食，此是薰菜③，损人精神。

秋冬捣子，醋煮熨肠头出④，甚效。

可和生菜食，治肠风。热饼裹食甚良。

利五藏不足，不可多食，损神。

胡荽味辛温（一云微寒），微毒。消谷，治五藏，补不足，利大小肠，通小腹气，拔四肢热，止头痛，疗沙疹、碗豆疮⑤不出，作酒喷之立出。通心窍，久食令人多忘。发腋臭、脚气。

根：发痼疾。

子：主小儿秃疮，油煎傅之。亦主蛊、五痔及食肉中毒下血：煮，冷取汁服。并州⑥人呼为"香荽"。入药炒用。

①胡荽：又名芫荽、香菜。

食疗本草

食读经典学养生

SHI
LIAO
BEN
CAO

卷下

食疗本草

读经典学养生

SHI
LIAO
BEN
CAO

卷下

②斜蒿：即邪蒿，嫩叶可作蔬菜。

③薰菜：指气味辛香刺激的蔬菜，如葱、姜、蒜、薤、胡荽等。

④肠头出：指痔疮或肠脱垂，大肠头突出肛门外。

⑤碗豆疮：中医病名。相当于天花，为一种急性传染病。症状为先发高热，全身起红色丘疹，继而变成疱疹，最后成脓疱。十天左右结痂，痂脱后留有疤痕。

⑥并州：唐代辖境在汾水中游地区，相当于今山西阳曲以南、文水以北。

邪蒿

味辛，温，平，无毒。似青蒿细软。主胸膈中臭烂恶邪气。利肠胃，通血脉，续不足气。生食微动风气，作羹食良。不与胡荽同食，令人汗臭气。

同蒿①

平。主安心气，养脾胃，消水饮。又，动风气，熏人心，令人气满，不可多食。

注

①同蒿：即茼蒿。一年生或二年生草本植物，茎叶嫩时可食，亦可入药。

罗勒

味辛、温，微毒。调中消食，去恶气，消水气，宜生食。

又，疗齿根烂疮，为灰用甚良。不可过多食，壅关节，涩荣卫，令血脉不行。又，动风发脚气。患喊^①，取汁服半合，定。冬月用干者煮之。

子：主目翳及物入目，三五颗致目中，少顷当湿胀，与物俱出^②。

又，疗风赤眵泪^③。

根：主小儿黄烂疮^④，烧灰傅之佳。北人呼为"兰香"，为石勒讳也。

注

①喊（wā）：指干呕症状。

②少顷当湿胀，与物俱出：罗勒的果实表面有黏液质，在眼中湿润后黏液质膨胀，可粘附异物。

③风赤眵泪：风热上袭，眼中红赤流泪，眼屎多。

④黄烂疮：中医病名。症见疮发如芝麻粒大，很快增大蔓延，泡大浆满，流汁溃烂，相当于今之大疱性脓疮病。病因为脏腑有热，热熏皮肤，外有湿气侵袭。

石胡荽

寒。无毒。通鼻气，利九窍，吐风痰，不任食。亦去翳，熟挼^①内鼻中，翳自落。俗名"鹅不食草"。

食疗本草

读经典 学养生

SHI
LIAO
BEN
CAO

卷下

注

①挼：揉搓。熟挼，反复多次揉搓。

蔓菁（芜菁）

温。消食，下气，治黄疸，利小便。根：主消渴，治热毒风肿。食，令人气胀满。

其子：九蒸九暴，捣为粉，服之长生。压油，涂头，能变蒜发①。

又，研子入面脂，极去皱。

又，捣子，水和服，治热黄、结实不通，少顷当泻一切恶物，沙、石、草、发并出。又利小便。

又，女子妒②乳肿，取其根生捣后，和盐醋浆水煮，取汁洗之，五六度差。又，捣和鸡子白封之，亦妙。

注

①蒜发：指青壮年人的白头发。
②妒：患病。

冬瓜

寒。上主治小腹水鼓胀。

又，利小便，止消渴。

又，其子：主益气耐老，除心胸气满，消痰止烦。

又，冬瓜子七升，（以）绢袋盛（之），投三沸汤中，须臾（出），曝干，又内汤中。如此三度乃止，曝干。与清苦酒浸之一宿，曝干为末，服之方寸匕，日二服，令人肥悦。

又，明目，延年不老。

案经：（食之）压丹石，去头面热风。

又，热发者①服之食。患冷人勿食之，令人益瘦。取冬瓜一颗，和桐叶与猪食之。一冬更不食诸物，（自然不饥），其猪肥长三、四倍矣。

又，煮食之，能炼五藏精细②。欲得肥者，勿食之，为下气。欲瘦小轻健者，食之甚健人。

又，冬瓜人三（五）升，退去皮壳，（捣）为丸。空腹及食后各服廿丸，令人面滑静如玉。可入面脂中用。

注

①热发者：此指服丹石药引起发热的人。
②炼五脏精细：使五藏纯净。

食疗本草

读经典 学养生

SHI
LIAO
BEN
CAO

卷
下

濮瓜

孟诜说：肺热消渴，取濮瓜去皮，每食后嚼吃
三二两，五七度良。

甜瓜

寒。上止渴，（益气），除烦热。多食令人阴
下痒湿，生疮。

又，发癉黄①，动宿冷病，患症瘕人不可食瓜。
（若食之饱胀，入水②自消。）

其瓜蒂：主治身面四肢浮肿，杀蛊，去鼻中瘜肉，
阴癉黄③及急黄。

又，生瓜叶：捣取汁，治人头不生毛发者，涂
之即生。

案经：多食令人羸惙④虚弱，脚手少力。其子热，
补中焦，宜人。其肉止渴，利小便，通三焦间拥塞气。

又方，瓜蒂七枚，丁香七枚，（小豆七粒，）
捣为末，吹（黑豆许于）鼻中，少时治瘫气⑤，黄汁
即出，差。

又，补中。打损折，碾末酒服去瘀血，治小儿
疳。《龙鱼河图》云：瓜有两鼻者杀人；沉水者杀人；
食多饱胀，可食盐，化成水。

①瘅黄：指黄疸之热盛者。

②入水：指食瓜人将身体浸泡在水里。

③阴瘅黄：即阴黄，中医病名，黄疸的一种。症见
　肌肤萎黄晦暗，胃弱腹胀，神疲乏力，胁肋隐痛，
　多因阳黄迁延日久。常见于今之慢性肝炎病中。

④羸惙：身体瘦弱无力。

⑤癰气：气机壅滞。

食　读经典
疗　学养
本　生
草

SHI
LIAO
BEN
CAO

卷下

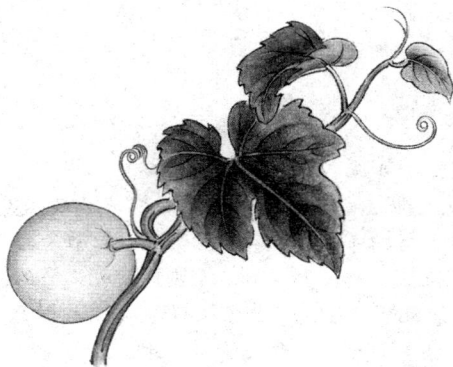

胡瓜（黄瓜）

寒。不可多食，动风及寒热。又发疝疟[1]，兼积瘀血。

案：多食令人虚热上气，生百病，消人阴，发疮（疖），及发痎气[2]，及脚气，损血脉。天行后不可食，（必再发）。

小儿食，发痢，滑中，生疳虫。

又，不可和酪食之，必再发。

又，捣根傅胡刺毒肿[3]，甚良。

胡瓜[4]：叶：味苦，平，小毒。主小儿闪癖[5]：一岁服一叶，已上斟酌与之。生授绞汁服，得吐、下。

根：捣傅胡刺毒肿。

其实味甘，寒，有毒。不可多食，动寒热，多疟病，积瘀热，发疰气[6]，令人虚热上逆，少气，发百病及疮疖，损阴血脉气，发脚气。天行后不可食。小儿切忌，滑中，生疳虫。不与醋同食。北人亦呼为黄瓜，为石勒讳，因而不改。

注

①疝（shān）疟：指有热无寒之疟。

②痎气：即痎癖。泛指生于腹腔内条索状的痞块。也有人将胸胁胀痛、两胁弦紧的症状归为痎气。

③胡刺毒肿：即狐刺毒肿。症见肢端无名毒肿。

④胡瓜：此下文字见于《嘉祐本草》，其文意思多同，而文字差别较大，故仍辑录于此。

⑤闪癖：小儿脏腑不和，寒湿侵袭，饮食结聚而成
　癖结。
⑥痒气：即引起迁延日久有传染性的痒病的邪气。

越瓜

寒。上主利阴阳，益肠胃，止烦渴，不可久食，
发痢。

案：此物动风。虽止渴，能发诸疮。令人虚，脚弱，
虚不能行（立）。小儿夏月不可与食，成痢、发虫。
令人腰脚冷，脐下痛。

患时疾后不可食。

不得和牛乳及酪食之。

又，不可空腹和醋食之，令人心痛。

芥

主咳逆，下气明目，去头面风。大叶者良。煮
食之亦动气，犹胜诸菜。生食发丹石，不可多食。

其子：微熬研之，作酱香美，有辛气，能通利五藏。

其叶不可多食。又，细叶有毛者杀人。

萝卜

冷。利五藏，轻身益气。

根：消食下气。甚利关节，除五藏中风，练①五藏中恶气。服之令人白净肌细。

注

①练：清除。

菘菜

温。治消渴。又发诸风冷。腹中冷病者不服。有热者服之，亦不发病，即明其菜性冷。《本草》云"温"，未解。又，消食，亦少下气。

九英菘①，出河西，叶极大，根亦粗长。和羊肉甚美。常食之，都不见发病。其冬月作葅，煮作羹食之，能消宿食，下气治嗽。诸家商略，性冷，非温。恐误也。

又，北无菘菜，南无芜菁。其蔓菁子，细；菜子，粗也。

注

①九英菘：蔓菁的别名。

荏子

主咳逆，下气。

其叶性温。用时捣之。治男子阴肿，生捣和醋封之。女人绵裹内，三、四易。

食

食　读经典
疗　学养生
本
草

SHI
LIAO
BEN
CAO

　　谨按: 子, 压作油用, 亦少破气, 多食发心闷。温。
补中益气, 通血脉, 填精髓。可蒸令熟, 烈日干之,
当口开。春取米食之, 亦可休粮。生食, 止渴、润肺。

龙葵

　　主丁肿。患火丹疮①, 和土杵傅之尤良。
　　其子疗甚妙。其赤珠者名龙珠, 久服变发, 长黑。
令人不老。其味苦, 皆挼去汁食之。

注

①火丹疮: 丹毒的一种。表现为皮肤色红灼热, 或
　　为紫红色, 微肿疼痛, 其上可起丘疹或有脓泡。

食疗本草

读经典学养生

SHI
LIAO
BEN
CAO

卷
下

苜蓿

患疸黄人，取根生捣，绞汁服之良。

又，利五藏，轻身；洗去脾胃间邪气，诸恶热毒。少食好，多食当冷气入筋中，即瘦人。亦能轻身健人，更无诸益。

彼处人采根作土黄者①也。又，安中，利五藏，煮和酱食之。作羹亦得。

注

①土黄者：即土黄芪，有清湿热、利尿的作用。

荞

补五藏不足。叶：动气。

荞子：入治眼方中用。不与面同食。令人背闷。服丹石人不可食。

蕨

寒。补五藏不足。气壅经络筋骨间，毒气。令人脚弱不能行。消阳事，缩玉茎①。多食令人发落，鼻塞，目暗。小儿不可食之，立行不得也。

又，冷气人食之，多腹胀。

食 读经典学养生

食疗本草

SHI
LIAO
BEN
CAO

卷下

①缩玉茎：使阴茎萎缩。

翘摇（紫云英）

疗五种黄病①：生捣汁，服一升，日二，差。

甚益人，和五藏，明耳目，去热风，令人轻健。长食不厌，煮熟吃，佳。若生吃，令人吐水。

①黄病：有发黄症状的疾病。

蓼子（蓼实）

多食令人吐水。亦通五藏拥气，损阳气。

葱

温。叶：温。白：平。主伤寒壮热、出汗；中风，面目浮肿，骨节头疼，损发鬓。

葱白及须：平。通气，主伤寒头痛。

又，治疮中有风水①，肿疼、秘涩②：取青叶同干姜、黄蘖相和，煮作汤，浸洗之，立愈。

冬葱最善，宜冬月食，不宜多。只可和五味用之。虚人患气者，多食发气，上冲人，五藏闭绝，虚人胃。

163

开骨节，出汗，故温尔。少食则得，可作汤饮。不得多食，恐拔气上冲人，五藏闷绝。切不可与蜜相和，食之促人气，杀人。

又，止血衄，利小便。

注

①疮中有风水：疮疡感染风水邪毒。
②秘涩：大便秘结干涩。

韭

冷气人，可煮，长服之。

热病后十日，不可食热韭，食之即发困。

又，胸痹①，心中急痛如锥刺，不得俯仰，白汗出；或痛彻背上，不治或至死：可取生韭或根五斤，洗，捣汁灌少许，即吐胸中恶血。

亦可作菹，空心食之，甚验。此物煠②熟，以盐、醋空心吃一楪，可十顿已上。甚治胸膈咽气，利胸膈，甚验。

初生孩子，可捣根汁灌之，即吐出胸中恶血，永无诸病。

五月勿食韭。若值时馑③之年，可与米同功。种之一亩，可供十口食。

注

①胸痹：中医病名。主症为胸部窒闷疼痛，多由瘀
血、痰浊等阴邪凝结于胸中，气机、脉络不通引起。
发作时胸满闷痛，甚则痛引彻背，喘息不得卧。

②煠：把食物放在沸的油或水中煮熟或烫熟。

③馑：饥饿，饥荒。

薤①

轻身耐老。疗金疮，生肌肉：生捣薤白，以火
封之②。更以火就炙，令热气彻疮中，干则易之。

疗诸疮中风水肿，生捣，热涂上，或煮之。

白色者最好。虽有辛气，不荤③人五藏。

又，发热病，不宜多食。三月勿食生者。

又，治寒热，去水气，温中，散结气：可作羹。

（心腹胀满）：可作宿葅④，空腹食之。

又，治女人赤白带下。

学道人长服之，可通神灵，甚安魂魄，益气，
续筋力。

骨髓在咽不去者，食之即下。

注

①薤（xiè）：薤白。

②以火封之：指疗金疮的用法中的一步，将新鲜薤
白捣烂后，用布包薤白在火上煨烤，使薤白极热，
将其封在疮面上。

③荤：熏灼刺激。

④宿葅：久制的腌菜、酸菜。

165

食疗本草
读经典学养生

SHI
LIAO
BEN
CAO

卷
下

荆芥

温。辟邪气，除劳，传送五藏不足气[1]，助脾胃。多食熏人五藏神。通利血脉，发汗，动渴疾。

又，杵为末，醋和封风毒肿上。

患丁肿，荆芥一把，水五升，煮取二升，冷，分二服。荆芥一名"菥蓂"[2]。

①传送五藏不足气：补充和流通五脏之气。
②菥蓂（xī mì）：一年生草本植物，全草可入药。

莙荙菜[1]

又，捣汁与时疾[2]人服，差。

子：煮半生，捣取汁，含，治小儿热。

① 莙（tián）菜：即甜菜。
②时疾：时令病。指常见的季节多发病，而不是广泛流行的传染病（瘟疫）。

紫苏

除寒热，治冷气。

鸡苏

一名"水苏"。熟捣生叶，绵裹塞耳，疗聋。

又，头风目眩者，以清酒煮汁一升服。产后中风，服之弥佳。

可烧作灰汁及以煮汁洗头，令发香，白屑不生。

又，收讫酿酒及渍酒^①，常服之佳。

注

①渍酒：指将鸡苏用酒浸渍。

香荄（香薷）

温。又云香戎。去热风。生菜中食，不可多食。卒转筋，可煮汁顿服半升，止。

又，干末止鼻衄，以水服之。

薄荷

平。解劳。与薤相宜。发汗，通利关节。杵汁服，去心藏风热。

秦荻梨

于生菜中最香美，甚破气。

又，末之，和酒服，疗卒心痛，悒悒[1]，塞满气[2]。

又，子：末以和醋封肿气，日三易。

注

[1] 悒悒：情绪不舒畅，精神不饱满。

[2] 塞满气：感觉胸闷憋气堵塞感。

瓠子

冷。上主治消渴。患恶疮，患脚气虚肿者，不得食之，加甚。

案经：治热风，及服丹石人始可食之。除此，一切人不可食也。患冷气人食之，加甚。又发痼疾。

大蒜

热。除风，杀虫、毒气。久服损眼伤肝。

治蛇咬疮，取蒜去皮一升，捣以小便一升，煮三四沸。通人即入渍损处，从夕至暮。初被咬未肿，速嚼蒜封之，六七易。

又，蒜一升去皮，以乳二升，煮使烂。空腹顿服之，随后饭压之。明日依前进服，下一切冷毒风气。

又，独头者一枚，和雄黄、杏人研为丸，空腹饮下三丸，静坐少时，患鬼气[1]者，当汗出即差。

食 读经典
疗 学养生
本
草

SHI
LIAO
BEN
CAO

卷
下

①鬼气：鬼物邪气。古时将某些精神异常症状归因
于鬼气，如癫狂，啼哭惊走，喜怒失常，行止昏乱等。

小蒜

主霍乱，消谷，治胃温中，除邪气。五月五日
采者上。

又，去诸虫毒、丁肿、毒疮，甚良。不可常食。

胡葱

平。主消谷，能食。久食之，令人多忘。根：
发痼疾。

又，食著诸毒肉，吐血不止，痿黄悴者：取子
一升洗，煮使破，取汁停冷。服半升，日一服，夜一服，
血定止。

又，患胡臭①、䘌齿人不可食，转极甚。

谨按：利五藏不足气，亦伤绝血脉气。多食损神，
此是熏物②耳。

①胡臭：即狐臭，中医病名。症见腋下汗液有特殊
臭味，其他部位如乳晕、脐部、外阴、肛周等也
可发生。为湿热内郁或遗传所致。
②熏物：气味大有刺激性的食物。

169

莼菜

和鲫鱼作羹，下气止呕。多食动痔。虽冷而补。热食之，亦拥气不下。甚损人胃及齿，不可多食，令人颜色恶。

又，不宜和醋食之，令人骨痿。少食，补大小肠虚气；久食损毛发。

水芹

寒。食之养神益力，令人肥健。杀石药毒。

置酒酱中香美。于醋中食之，损人齿，黑色。

生黑滑地[1]，名曰"水芹"，食之不如高田[2]者宜人。余田中皆诸虫子在其叶下，视之不见，食之与人为患。高田者名"白芹"。

注

①黑滑地：地势低洼的湿润肥沃的黑土地。
②高田：地势高的田地。

马齿苋

延年益寿，明目。

又，主马毒疮，以水煮，冷服一升，并涂疮上。

患湿癣[1]白秃，取马齿膏涂之。若烧灰傅之亦良。

作膏：主三十六种风，可取马齿一硕，水可二硕，蜡三两。煎之成膏。

治疳痢及一切风，傅杖疮良。

及煮一碗，和盐、醋等空腹食之，少时当出尽白虫矣。

又可细切煮粥，止痢，治腹痛。

注

①湿癣：中医病名。症见患处皮肤红斑丘疹，糜烂，瘙痒，搔破后滋水淋漓，不断扩散。多由风湿热邪侵犯肌表所致。相当于现代急性湿疹、皮炎等皮肤病。

落苏①

平。主寒热，五藏劳。不可多食。动气，亦发痼疾。
熟者少食之，无畏。患冷人不可食，发痼疾。

又，根主冻脚疮，煮汤浸之。

又，醋摩之，傅肿毒。

注

①落苏：茄子。

蘩蒌

不用①令人长食之，恐血尽。或云：蘋蒌即藤也，
人恐白软草是。

又方，（治隐轸疮），捣蘩蒌封上。

煮作羹食之，甚益人。

注

①不用：不可。

鸡肠草

温。作灰和盐，疗一切疮及风丹①遍身如枣大，
痒痛者：捣封上，日五六易之。

亦可生食，煮作菜食之，益人。去脂膏毒气。

治一切恶疮，捣汁傅之，五月五日者验。

又，烧傅疳䘌。亦疗小儿赤白痢，可取汁一合，和蜜服之甚良。

注

①风丹：指风团、丘疹。

白苣

寒。主补筋力。利五藏，开胸膈拥塞气。通经脉，养筋骨，令人齿白净，聪明，少睡。可常常食之。有小冷气人食之，虽亦觉腹冷，终不损人。

又，产后不可食之，令人寒中①，少腹痛。

（白苣）②

味苦寒（一云平）。主补筋骨，利五藏，开胸膈拥气，通经脉，止脾气。令人齿白，聪明，少睡。可常食之。患冷气人食，即腹冷，不至苦损人。产后不可食，令人寒中，小腹痛。

注

①寒中：指脾胃中伏寒邪的病症，可表现为腹痛、泄泻等。

②白苣：此下文字见于《嘉祐本草》，其文意思多同，而文字有差别，故仍辑录于此。

食疗本草

读经典　学养生

SHI
LIAO
BEN
CAO

卷
下

落葵

其子悦泽人面，药中可用之。

其子令人面鲜华可爱。取蒸，烈日中曝干，捼去皮，取人细研，和白蜜傅之，甚验。

食此菜后被狗咬，即疮不差[1]也。

注

[1]不差：不容易痊愈。差，通"瘥"。

堇菜

味苦。主寒热鼠瘘[1]，瘰疬[2]生疮，结核[3]聚气。下瘀血。

久食，除心烦热，令人身重懈惰。又令人多睡，只可一两顿而已。

又，捣傅热肿良。

又，杀鬼毒，生取汁半升服，即吐出。

叶：主霍乱。与香葇同功。蛇咬：生研傅之，毒即出矣。

又，干末和油煎成，摩结核上，三五度便差。

注

[1]鼠瘘：中医病名。又称瘰疬，症见颈项、腋下等
　　处出现结块，初起如豆大，后渐增大，且连成串，

可破溃流出稀脓液或豆渣样分泌物，此起彼伏，久不收口，甚至形成瘘管。相当于现代之淋巴结核、慢性淋巴结炎等病。

②瘰疬：即鼠瘘。结核生在皮肉间，相连成串，故称瘰疬。

③结核：中医病名。症见人体皮里膜外生肿块，较硬而不痛，病因起于湿痰气郁，或风火气郁。相当于现代之淋巴结炎、淋巴结核等。

蕺菜（鱼腥草）

温。小儿食之，便觉脚痛，三岁不行。久食之，发虚弱，损阳气，消精髓，不可食。

马芹子

和酱食诸味良。根及叶不堪食。卒心痛：子作末，醋服。

芸薹

若先患腰膝，不可多食，必加极。

又，极损阳气，发口疮，齿痛。

又，能生腹中诸虫。道家特忌。

食疗本草
读经典 学养生

SHI
LIAO
BEN
CAO

卷
下

雍菜

味甘，平，无毒。主解野葛毒，煮食之。亦生捣服之。岭南种之，蔓生，花白，堪为菜。云南人先食雍菜，后食野葛，二物相伏①，自然无苦。

又，取汁滴野葛苗，当时菸②死，其相杀③如此。张司空云：魏武帝啖野葛至一尺，应是先食此菜也。

注

①相伏：互相制约。

②菸：蔫，不鲜。

③相杀：一种药物可以消除另一种药物的毒性，称为相杀。

菠薐①

冷，微毒。利五藏，通肠胃热，解酒毒。服丹石人食之佳。北人食肉面即平②，南人食鱼鳖水米即冷。不可多食，冷大小肠。久食令人脚弱不能行。发腰痛，不与蛆鱼③同食。发霍乱吐泻。

注

①菠薐（léng）：即菠菜。

②北人食肉面即平：北方人常吃肉、面，吃了菠菜后觉得它的性质平和。

③蛆鱼：指鳝鱼。

可破溃流出稀脓液或豆渣样分泌物，此起彼伏，
久不收口，甚至形成瘘管。相当于现代之淋巴结核、
慢性淋巴结炎等病。

②瘰疬：即鼠瘘。结核生在皮肉间，相连成串，故
称瘰疬。

③结核：中医病名。症见人体皮里膜外生肿块，较
硬而不痛，病因起于湿痰气郁，或风火气郁。相
当于现代之淋巴结炎、淋巴结核等。

蕺菜（鱼腥草）

温。小儿食之，便觉脚痛，三岁不行。久食之，
发虚弱，损阳气，消精髓，不可食。

马芹子

和酱食诸味良。根及叶不堪食。卒心痛：子作末，
醋服。

芸薹

若先患腰膝，不可多食，必加极。

又，极损阳气，发口疮，齿痛。

又，能生腹中诸虫。道家特忌。

雍菜

　　味甘，平，无毒。主解野葛毒，煮食之。亦生捣服之。岭南种之，蔓生，花白，堪为菜。云南人先食雍菜，后食野葛，二物相伏[1]，自然无苦。

　　又，取汁滴野葛苗，当时菸[2]死，其相杀[3]如此。张司空云：魏武帝啖野葛至一尺，应是先食此菜也。

注

①相伏：互相制约。
②菸：蔫，不鲜。
③相杀：一种药物可以消除另一种药物的毒性，称为相杀。

菠薐[1]

　　冷，微毒。利五藏，通肠胃热，解酒毒。服丹石人食之佳。北人食肉面即平[2]，南人食鱼鳖水米即冷。不可多食，冷大小肠。久食令人脚弱不能行。发腰痛，不与蛆鱼[3]同食。发霍乱吐泻。

注

①菠薐（léng）：即菠菜。
②北人食肉面即平：北方人常吃肉、面，吃了菠菜后觉得它的性质平和。
③蛆鱼：指鳝鱼。

苦荬①

冷。无毒。治面目黄，强力，止困，傅蛇虫咬。

又，汁傅丁肿，即根出。蚕蛾出时，切不可取拗②，令蛾子青烂。蚕妇亦忌食。野苦荬五六回拗后，味甘滑于家苦荬，甚佳。

注

①苦荬（mǎi）：即苦苣菜。
②拗：采摘。

鹿角菜

大寒。无毒，微毒。下热风气，疗小儿骨蒸热劳。丈夫不可久食，发痼疾，损经络血气，令人脚冷痹，损腰肾，少颜色。服丹石人食之，下石力也。出海州，登、莱沂、密州并有，海中。又能解面热①。

注

①面热：指面食的热性。

葧荙①

平。微毒。补中下气，理脾气，去头风，利五藏。冷气不可多食，动气。先患腹冷，食必破腹②。茎灰

食疗本草

读经典　学养生

SHI
LIAO
BEN
CAO

卷
下

淋汁，洗衣白如玉色。

注

①莙荙（jūn dá）：又名牛皮菜、甜菜。一年生或二年生草本植物，叶有长柄，花绿色，叶子嫩时可做蔬菜。古时指车前草。

②破腹：指腹痛、腹泻、便血等。